Historia de las ciencias

4. La ciencia del siglo XIX, agente del cambio industrial e intelectual

Ciencia y técnica

Stephen F. Mason

Historia de las ciencias

4. La ciencia del siglo XIX, agente del cambio industrial e intelectual

El libro de bolsillo
Historia de la ciencia
Alianza Editorial

TÍTULO ORIGINAL: *A History of Sciences*
TRADUCTOR: Carlos Solís Santos

Primera edición en «El libro de bolsillo»: 1986
Segunda reimpresión: 1996
Primera edición en «Área de conocimiento: Ciencia y técnica»: 2001
Primera reimpresión: 2005

Diseño de cubierta: Alianza Editorial
Cubierta: John Emslie, *Locomotora de vapor* (1848). Fotografía: Archivo Anaya

Calle Juan Ignacio Luca de Tena, 15;
28027 Madrid; teléfono 91 393 88 88
www.alianzaeditorial.es
ISBN: 84-206-3942-7 (Obra completa)
ISBN: 84-206-3773-4 (Tomo 4)
Depósito legal: M. 15.858-2005
Fotocomposición e impresión: EFCA, S. A.
Parque Industrial «Las Monjas»
28850 Torrejón de Ardoz (Madrid)
Printed in Spain

1. El desarrollo de la geología

A lo largo del siglo XVIII, la geología empezó a cristalizar como ciencia independiente, alcanzando la madurez en las primeras décadas del siglo XIX. Anteriormente, la geología era un campo de estudio dividido y disperso. Los mineros y demás personas interesadas en la extracción de metales, arcillas, carbón y sales de las entrañas de la tierra conocían algunos hechos relativos a dicha ciencia, mientras que los filósofos naturales formulaban teorías geológicas especulativas con independencia en gran medida de tales hechos. En general, las sustancias inorgánicas extraídas de la tierra se consideraban como vivas, creciendo bajo el impulso de una fuerza plástica interna o bien merced a la influencia exterior de los astros. Así, por ejemplo, no era infrecuente la práctica consistente en cerrar de vez en cuando las minas a fin de que los minerales creciesen de nuevo reemplazando a los extraídos hasta entonces. Generalmente se tenía a los fósiles por intentos abortados de la naturaleza de producir animales y plantas, o bien por «caprichos de la naturaleza» que se asemejaban fortuitamente a las formas orgánicas. En aquellos períodos de la historia que marcan el comienzo de una nueva época, había individuos que sugerían que los fósiles eran restos de criaturas antaño vivas. Entre los presocráticos está el caso de Jenófanes de Colofón, y, durante el Renacimiento, los de Leonardo da Vinci, Girolamo Fracastoro y Giordano Bruno.

Semejante opinión no fue muy común durante el siglo XVII, ya que se había señalado, especialmente gracias al clérigo y naturalista cantabrigense John Ray, 1627-1705, que si los fósiles fuesen restos de especies extinguidas, entonces la gran cadena de las criaturas vivas no sería continua y completa; habría huecos allí donde las especies se hubieran extinguido, con lo que el mundo en su conjunto se tornaría en algo imperfecto. Con el tiempo, Ray llegó a aceptar la opinión de que los fósiles eran restos de criaturas vivas, aunque no sin reservas. Consideraba difícil imaginar cómo era que las conchas fósiles, presuntamente pertenecientes a criaturas marinas, se encontraban en las cumbres de las montañas. Tales fósiles se hundían profundamente en los estratos rocosos de las montañas, por lo que su presencia no se podía explicar en virtud de alguna catástrofe temporal del tipo del Diluvio universal. Además, añadía, el diluvio habría de arrastrar las criaturas fósiles montaña abajo a medida que las aguas se retiraban.

En 1695, John Woodward, 1665-1728, profesor de medicina en el Gresham College de Londres, publicó una réplica a Ray en su *Ensayo de una historia natural de la tierra.* Woodward sostenía que el Diluvio universal había sido un acontecimiento mucho más catastrófico de lo que Ray había supuesto.

> Todo el globo terrestre –escribía– quedó deshecho por el diluvio, depositándose los estratos hoy visibles a partir de aquella masa promiscua, tal como ocurre con cualquier sedimento terroso de un fluido.

Woodward sugería que el diluvio no sólo había destruido la mayor parte de la población orgánica de la tierra, sino que también había roto la superficie inorgánica terrestre, manteniendo en suspensión las partes constituyentes de las rocas. Así, se habían formado nuevos estratos rocosos por un proceso de sedimentación, quedando atrapados los restos de los animales y las plantas, de manera que los fósiles se encontraban en los estratos más profundos. Las sustancias más pesadas, los metales, los minerales y los huesos fósiles más pesados, se depositaron primero en los estratos más profundos; a continuación, en la greda superior, se depositaron las conchas más ligeras de los animales marinos, y finalmente el hombre, los animales superiores y las plantas quedaron atrapados en la arena y la marga de los estratos superiores. Así pues, Woodward era de la opinión de que los fósiles eran los restos de criaturas en otro tiempo vivas, considerándolos la prueba más segura de la autenticidad histórica del Diluvio universal. Algunos de los contemporáneos de Woodward que aceptaban sus teorías eran teológicamente menos ortodoxos, especialmente Edmund Halley y William Whiston, quienes sugerían que el Diluvio universal no había sido más que una inmensa ola de marea levantada por el cometa Halley al pasar demasiado cerca de la tierra. Sin embargo, durante el siglo XVIII, las ideas originales de Woodward fueron las más aceptadas, estimulando a lo largo del siglo la colección de fósiles. Incluso llegaron a colgarse en las iglesias huesos fósiles, bajo el rótulo de «Huesos de los gigantes mencionados en las Escrituras».

Woodward y sus seguidores hicieron un gran hincapié en la acción del agua, especialmente la del Diluvio universal, en la formación de los estratos rocosos y su contenido fósil. Frente a ella estaba otra escuela que subrayaba el papel del calor y la acción volcánica. John Ray, al responder a Woodward, había manifestado la opinión de que las montañas y la tierra seca se habían elevado por encima de las aguas oceánicas gracias a los fuegos interiores de la tierra bajo las órdenes de Dios. En aquellos países en los que había volcanes activos, tal punto de vista parecía más plausible que la teoría diluvial, con lo que, en 1740, el abate Anton Moro de Venecia propuso una teoría geológica totalmente térmica. Moro sostenía que el Diluvio universal había constituido un suceso geológico sin importancia y esencialmente menor. Pensaba que los sucesivos estratos rocosos se debían a una serie de erupciones volcánicas de roca líquida, cada una de las cuales había formado un nuevo estrato que contenía los diversos tipos de animales y plantas entonces vivientes, de tal modo que los fósiles quedaban profundamente incluidos en las rocas.

La oposición entre los dos puntos de vista, el de Woodward y el de Moro, señaló el comienzo de una controversia que estalló a finales del siglo XVIII entre los neptunistas, que subrayaban el papel del agua en la formación de los estratos geológicos, y los vulcanistas, que hacían hincapié en la operación del calor. Antes y después de la controversia, ambas doctrinas se tenían por complementarias, mas en el período que va de 1790 a 1830 se produjo un agudo conflicto cuando la teoría vulcanista se asoció con la doctrina de que los estratos rocosos habían evolucionado gradualmente, y la neptunista, con la de que los estratos se habían formado repentina y catastróficamente, si bien algunos vulcanistas compartían esta opinión. Durante la etapa de la controversia, así como anteriormente, existía la tendencia a aducir testimonios puramente locales en apoyo de una teoría geológica particular. Así, el examen de volcanes activos o extinguidos tendía a llevar a los geólogos a conclusiones vulcanistas, mientras que la preocupación por las rocas sedimentarias llevaba al punto de vista neptunista.

En geología se propusieron teorías evolucionistas antes del período de controversia, si bien no atrajeron mucha atención, dado que en gran medida eran especulativas. Georges Buffon, el mantenedor de los Jardines del Rey en París, publicó en 1749 una de esas teorías sobre la evolución de la tierra, ampliándola en 1778. Buffon fue uno de los primeros en atribuir a la edad de la tierra una extensión mucho mayor que la estimación acostumbrada de seis mil años, basada en la genealogía de las personas mencionadas en el Antiguo Testamento. Suponía que la tierra había existido desde hacía unos ochenta mil años, a lo largo de los cuales se habían dado siete épocas de desarrollo. En primer lugar, se había formado el sistema solar a base de la materia arrojada por el Sol debido a una colisión entre éste y un cometa. Al comien-

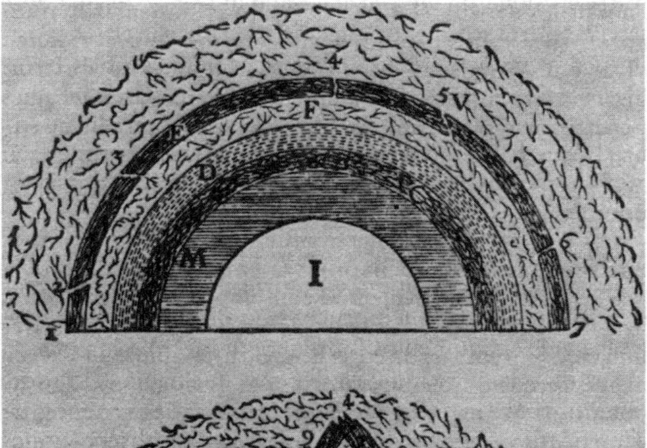

Formación del relieve por fisuras en la corteza terrestre y emisiones ígneas.

zo, la Tierra, y los demás planetas, estaba fundida o semifluida, adoptando la forma de esferoide oblongo que presenta como resultado del giro axial, lo que provocó que el ecuador se ensanchase y que los polos se achatasen. A continuación se había formado una corteza sólida en la superficie de la Tierra, capa que se arrugó a medida que la Tierra se enfriaba más, dando así lugar a las cadenas montañosas y a las cuencas oceánicas. A continuación se había condensado el vapor de agua de la atmósfera, cubriendo así toda la superficie terrestre con un océano. Las partes superiores de la corteza terrestre se erosionaron merced al océano universal, formándose arcillas por la sedimentación de los detritus. En esos depósitos sedimentarios quedaron encerrados algunos fósiles, restos de las criaturas vivas que abundaban en el océano. Después se abrieron grietas en la corteza, con lo que una buena parte del agua penetró en el interior de la tierra, dejando tierra firme sobre la que había aparecido la vegetación. A continuación aparecieron los animales terrestres y finalmente el propio hombre.

Las teorías de Buffon eran muy especulativas, por más que intentase introducir pruebas empíricas en la geología, realizando experimentos con globos de hierro en un intento de estimar la duración de las épocas que había delineado. Sin embargo, en esta época, la aplicación de la experimentación de laboratorio a la geología era algo limitado; la geología era fundamentalmente una ciencia de campo que dependía de la recolección de observaciones procedentes de diversas localidades. Tales observaciones las realizaron en Francia los contemporáneos de Buffon, Jean Guettard, 1715-1786, en un tiempo médico del duque de Orleáns, y Nicolas Desmarest, 1725-1815, inspector general y director de manufacturas. Sus investigaciones cubrían gran parte de Francia, aunque estaban especialmente interesados en las montañas de Auvernia, que, según veían, eran volcanes apagados. Guettard se inclinaba hacia el neptunismo, según el

La Calzada de los Gigantes.

cual todas las rocas poseían un origen acuático. En 1770 sugirió que el basalto, la roca que forma las columnas de la Calzada de los Gigantes de Irlanda, se había formado por cristalización del agua. Sin embargo, Desmarest descubrió columnas de basalto en la vecindad de los volcanes, sugiriendo en 1777 que se formaban por la solidificación de rocas fundidas. En general, Guettard y Desmarest combinaban las teorías neptunistas y vulcanistas, sosteniendo que el calor y la acción volcánica habían sido importantes al principio en la formación de las rocas, siendo luego más acusada la acción del agua.

Guettard fue también un pionero de la observación geológica. Se dio cuenta de que las bandas de minerales y rocas estaban dispuestas unas al lado de otras en la superficie de la tierra, y de la disposición de esas bandas dedujo que las que desaparecían en el Canal de la Mancha por la parte francesa tenían que reaparecer en el sur de Inglaterra. Ulteriores investigaciones mostraron que así era efectivamente. Más adelante, bajo los auspicios de la Academia de Ciencias de París, trazó la disposición de dichas franjas por el resto de Francia con ayuda del químico Lavoisier, y en 1780 publicó un mapa geológico de Francia a gran escala. Guettard no vio que las franjas de roca que se disponían sobre la superficie de la tierra unas al lado de otras estaban verticalmente contiguas bajo tierra, quizá debido a que Francia no se destacaba entonces por sus minas, en las que se podría explorar la sección vertical de la corteza terrestre. Ya en 1719, el inglés John Strachey, 1671-1743, había trazado la sucesión de estratos rocosos del carbón a la greda en las minas de carbón del Mendips, desarrollando investigaciones similares algo más adelante los alemanes Johann Lehmann, muerto en 1767, profesor en Berlín, y Georg Fuchsel, 1722-1773, un médico que exploró las regiones mineras de las montañas de Harz.

Lehmann y Fuchsel veían las series verticales de estratos rocosos como una sucesión histórica en la que cada uno de los estratos se acumulaba gradualmente sobre los de abajo. Distinguían tres tipos principales de roca en términos de su edad. Primero venían las rocas primarias sin fósiles que formaban los núcleos de las montañas. Las seguían los depósitos secundarios que contenían los fósiles de las criaturas más simples. Finalmente venían las rocas terciarias con fósiles de animales terrestres y plantas. Lehmann y Fuchsel estimaban que dichos estratos se habían formado por la sedimentación de materiales marinos, inclinándose los estratos rocosos debido al plegamiento de la corteza terrestre a medida que se enfriaba. Sus puntos de vista se vieron apoyados por Peter Pallas, 1741-1811, un alemán al servicio de Catalina II de Rusia que realizó una extensa exploración de los Urales entre 1768 y 1784. Pallas observó que los estratos montañosos de los Urales se hallaban considerablemente inclinados, estando la roca sedimentaria más reciente erosionada en las cumbres, mostrando así las rocas primarias de abajo.

Sin embargo, estas doctrinas evolucionistas se perdieron con el siguiente geólogo alemán importante, Abraham Werner, 1749-1817, quien fundó una escuela puramente neptuniana. Werner provenía de una familia que había estado asociada a la minería durante trescientos años, tradición que él continuó como director de la Escuela de Minas de Freiberg desde 1775 hasta su muerte en 1817. Werner no publicó demasiado, pero era un conferenciante popular y atraía a muchos estudiantes de toda Europa. De hecho fue sobre todo merced a sus conferencias como se difundieron sus enseñanzas, y sus estudiantes hicieron del neptunismo la teoría geológica más importante de cuantas se defendían en las primeras décadas del siglo XIX. Las doctrinas geológicas de Werner constituían una versión secularizada y ampliada de la primitiva teoría del Diluvio de Woodward. Al principio, sostenía, la tierra estaba cubierta por un océano primitivo a partir del cual se habían depositado todos los estratos rocosos mediante procesos de cristalización, precipitación química o sedimentación mecánica.

Ante todo, venían las rocas primitivas, como el granito, que habían cristalizado a partir del océano primitivo, estando completamente desprovistas de fósiles. Luego venían las rocas de transición, como las micas y pizarras, que contenían pocos fósiles y que se habían precipitado a partir del océano. Luego estaban las rocas sedimentarias más ricas en fósiles, como el carbón y la caliza, formadas por los depósitos de sólidos debidos a las aguas. Finalmente, estaban las rocas derivadas, como las arenas y arcillas, provinientes de las demás por un proceso de erosión. Werner pensaba que los volcanes se debían a incendios subterráneos de carbón, con lo que el calor generado fundía las rocas vecinas, provocando ocasionalmente la erupción de lava volcánica. Así pues, para Werner el calor no era una fuerza geológica de importancia: la acción volcánica debida a la combustión del carbón era un agente de formación de rocas tardío y subsidiario que sólo aparecía una vez que se hubiesen depositado los estratos fundamentales.

Werner vivió en el período de los filósofos de la naturaleza alemanes, pareciendo acusar la influencia de dicha escuela. Se ocupaba del problema del posible origen de las rocas, considerando a su postulado océano primitivo como la fuente de la que habían derivado todas las rocas. Otros geólogos contemporáneos de Werner no se ocuparon del origen último de las rocas, sino de la operación de las fuerzas geológicas actuales que suponían que habían existido a lo largo de toda la historia de la Tierra, a fin de dar cuenta de la formación de los estratos rocosos. Werner consideraba asimismo que sus cuatro clases de rocas constituían tipos fundamentales: todas las rocas pertenecían a uno de dichos tipos, formándose merced a los procesos de cristalización, precipitación o sedimentación característicos de tal tipo. De manera similar, los biólogos de la época consideraban que las especies orgánicas se originaban a partir de una fuente común, siendo todos los animales y plantas modificaciones de unos pocos tipos originales. Desde un punto de vista práctico, Werner se hallaba poderosamente influido por sus intereses en la minería; de hecho en algunos aspectos su geología estaba subordinada a su mineralogía, ya que clasificaba las rocas según los minerales que presentaban y no según el contenido fósil que más adelante se convertiría en el método estándar. Sus observaciones de campo se limitaban sobre todo a Sajonia y Bohemia, regiones mineras especialmente ricas en depósitos minerales. La clasificación de Werner de las rocas según su contenido en minerales era por tanto muy útil, pero no indicaba el orden histórico de los diversos estratos rocosos, tal y como hacía la clasificación por fósiles. Además, no era fácilmente aplicable a regiones fuera de Sajonia y Bohemia, donde se daban distintos tipos de rocas y diferentes sucesiones de estratos. Con todo, la limitación más importante de la teoría geológica de Werner era la ausencia de una explicación de la desaparición del océano primitivo una vez que se hubieron formado los estratos rocosos. Uno de sus discípulos, Robert Jameson, 1774-1854, profesor de historia natural en Edimburgo, publicó en 1808 una exposición de las teorías de Werner en sus *Elementos de Geognosia.* En dicha obra, Jameson escribía acerca de la desaparición del océano primordial:

> Aunque no podamos dar una respuesta muy satisfactoria a esta pregunta, es evidente que la teoría de la disminución del agua sigue siendo igualmente probable. Podemos convencernos de su verdad, y así lo estamos, por más que no seamos capaces de explicarla. Saber por observación que ha tenido lugar un gran fenómeno es algo muy distinto de asegurar de qué modo ha ocurrido.

Ésa era la suposición sobre la que descansaba la teoría de Werner. Atribuía el origen de las rocas a algo que era en principio inobservable, el océano primitivo, y suponía que desaparecía por medios no especificados una vez cumplida su misión. Frente a este punto de vista, James Hutton, 1726-1797, un científico aficionado de Edimburgo, propuso la idea de que para explicar la formación pretérita de rocas sólo deberían usarse aquellas fuerzas geológicas que vemos actualmente en acción. Hutton recibió formación médica, si bien nunca llegó a practicar la medicina. En vez de ello, participó en las empresas agrarias e industriales de su época, aplicando los nuevos métodos agrícolas que había estudiado en Norfolk a sus posesiones de Bervickshire, fundando asimismo una factoría química para la manufactura de la sal de amoníaco, de donde extraía las suficientes ganancias como para dedicarse gratuitamente a sus estudios científicos y técnicos. En 1785 leyó un trabajo en la Sociedad Real de Edimburgo que exponía el meollo de su teoría geológica, publicando diez años más tarde su obra fundamental, *La teoría de la tierra,* donde exponía plenamente sus doctrinas. Frente a Werner, Hutton hacía hincapié en la actividad geológica del calor interno de la Tierra, por más que aceptase las fuerzas formadoras del agua. Había hallado en Norfolk cuencas de grava, arena y barro que orlaban la costa y corrían tierra adentro bajo los campos, siendo los restos de los detritus erosionados de las colinas arrastrados por los ríos. Pensaba que las rocas sedimentarias se formaban a partir de dichas cuencas de barro y arena merced al efecto combinado del calor interno de la Tierra y la presión de las tierras y mares que descansaban sobre ellas. Esas rocas sedimentarias eran amorfas, mientras que había hallado que las rocas que formaban algunas de las montañas escocesas eran cristalinas, por lo que suponía que estas últimas se habían formado directamente por la solidificación de rocas fundidas y no por cristalización a partir del agua, tal y como Werner pensaba.

Hutton sostenía que el interior de la tierra se componía de lava fundida, sirviendo la superficie sólida a modo de envase cerrado, excepción hecha de los volcanes que servían de válvulas de seguridad. Pensaba que de vez en cuando la roca fundida escapaba a través de las grietas situadas bajo la superficie de la Tierra, inclinando los estratos sedimentarios situados encima. A continuación, la roca fundida se solidificaba formando las rocas cristalinas, como el basalto y el granito, produciendo así las montañas con su núcleo cristalino y sus lados sedimentarios. Hacia la base de algunas montañas halló estratos sedimentarios horizontales encima de las rocas sedimentarias inclinadas, de donde concluyó que había transcurrido mucho tiempo entre la formación de las rocas inclinadas y el depósito de estratos horizontales recientes. Ciertamente, Hutton no veía el comienzo de la formación geológica de la tierra: la edad de la Tierra era indefinidamente larga, operando siempre las mismas fuerzas geológicas ahora presentes, formando, rompiendo y reformando las rocas que componen la superficie de la Tierra. Como los filósofos mecanicistas franceses del siglo XVIII, quienes derivaban su idea de progreso de la concepción de que el hombre es siempre y en todas partes el mismo, Hutton derivaba su teoría del desarrollo geológico de la doctrina de que las fuerzas de la naturaleza son constantes. Dado que las fuerzas geológicas de la Tierra eran constantes y siempre las mismas, producían una sucesión histórica de estratos rocosos. Esta creencia de Hutton es paralela a la de los filósofos franceses, para quienes los hombres, permaneciendo constantes en sus capacidades físicas y mentales, acumulaban progresivamente la experiencia de la humanidad. Hutton basaba su opinión de que los agentes formadores de rocas de la Tierra eran constantes en la teoría para entonces ya establecida de que el sistema solar era mecánicamente estable y permanentemente autónomo.

De la contemplación de las revoluciones de los planetas -escribía- se concluye que hay un sistema en virtud del cual están preparados para continuar con sus revoluciones. Mas si la sucesión de los mundos está establecida por el sistema de la naturaleza, en vano se buscará algo más elevado en el origen de la Tierra. Por consiguiente, el resultado de esta investigación física es que no hallamos vestigio de un comienzo ni previsión de un fin.

Las teorías de Hutton recibieron apoyo y ulterior desarrollo gracias a sus amigos, John Playfair, 1748-1819, profesor de filosofía natural de Edimburgo, y sir James Hall, 1762-1831, un científico aficionado de Edimburgo. Playfair publicó en 1802 una obra titulada *Ilustraciones de la teoría huttoniana* que describía la teoría en cuestión de manera más clara que el propio Hutton, conteniendo además la opinión del propio Playfair según la cual los glaciares habían constituido un importante agente geológico al acarrear masas de rocas de un lugar a otro. Entre 1790 y 1812, Hall realizó algunos experimentos importantes que apoyaban la teoría de Hutton. Los discípulos y seguidores de Werner argüían en contra de Hutton primero que la roca fundida no se tornaría cristalina al solidificarse, sino que sería vítrea como la lava, y, en segundo lugar, que algunas rocas como la caliza se descompondrían sometidas al calor. Hall observó en una fábrica de vidrio en Leith que si se permitía que el vidrio fundido se enfriase muy despacio, se tornaba cristalino y opaco, mientras que si se enfriaba más aprisa, se hacía vítreo y transparente. Suponía que las rocas fundidas se comportarían de manera similar y, consiguientemente, obtuvo lava del Vesubio y del Etna, fundiéndola en un horno de reverbero de una acería. Tal y como esperaba, la roca fundida se tornaba cristalina como el basalto cuando se le permitía enfriarse lentamente, y vítrea como la lava si se enfriaba rápidamente. Hall observó además que si la caliza se calentaba en un recipiente cerrado no se descomponía, como pensaban los neptunistas, sino que se fundía tornándose en mármol al enfriarse, tal y como Hutton sugería. En otros experimentos Hall descubrió que la arena suelta, al calentarse en un pote de hierro lleno de agua de mar, se hacía dura y compacta, como la arenisca, lo que una vez más apoyaba la teoría de Hutton.

A pesar de los experimentos de Hall, las teorías de Hutton no se aceptaron inmediatamente de manera generalizada, ya que se tenían por subversivas para los intereses de la religión establecida y ciertamente para todo el orden de cosas tradicional. Hutton se vio atacado por defender lo que se consideraba puntos de vista ateos. John Williams de Edimburgo, un geólogo que realizó trabajos importantes sobre los estratos carboníferos, atacó a Hutton en su *Historia natural del reino mineral,* publicada en 1789, donde decía que:

> La salvaje y antinatural idea –de Hutton– de la eternidad de la Tierra conduce primero al escepticismo y finalmente a la clara infidelidad y ateísmo. Si llegamos a sostener la firme convicción de que el mundo es eterno, pudiendo marchar por sí mismo en la reproducción y sucesión progresiva de las cosas, podemos llegar a suponer que para nada sirve la interposición de un poder de gobierno; y dado que no vemos al Ser Supremo con nuestros ojos corporales, entregaremos al ciego azar el cuidado de todas las cosas.

Afirmaba que todas las rebeliones «pronto desembocan en la anarquía, la confusión y la miseria, cosa que también ocurre con nuestra rebelión intelectual». Deluc, lector de la reina Carlota, hizo una crítica similar de la teoría de Hutton en su *Tratado elemental de geología,* publicado en 1809. Escribía que el conocimiento de la geología se había tornado esencial para los teólogos, dado que:

Ciertamente ninguna conclusión de las ciencias naturales puede ser más importante para el hombre que aquella relativa al Génesis, pues colocar dicho libro en la clase de las fábulas equivaldría a arrojar a la más profunda ignorancia lo que es más importante para él: su origen, sus deberes y su destino.

Semejante oposición hizo que la teoría de Hutton fuese de lo más impopular en aquel momento, si bien sus opiniones resucitaron en los años treinta, llegando a ser aceptadas por la generalidad de las personas. Entretanto se había producido una buena dosis de progreso técnico en geología, lo que suministró la base empírica para el ulterior resurgimiento y ampliación de las opiniones de Hutton. En 1807 se fundó la Sociedad Geológica Británica para promover el desarrollo del conocimiento geológico. La mayoría de los primeros miembros de la Sociedad Geológica eran neptunistas, es decir, seguidores de Werner, si bien un miembro escocés, MacCulloch, defendía los aspectos vulcanistas de las enseñanzas de Hutton. En las reuniones de la sociedad no eran infrecuentes las controversias teóricas, si bien hasta los años treinta no se centraron en los aspectos evolucionistas de la obra de Hutton. Dicho sea de paso, la fundación de la Sociedad Geológica Británica ilustra la preeminencia de los inconformistas en la ciencia británica a finales del XVIII y comienzos del XIX, pues de los trece miembros fundadores, cuatro eran cuáqueros, y uno, ministro unitario.

A lo largo del período que va de 1790 a 1830, conocido como «la edad heroica de la geología», se llevó a cabo una gran cantidad de trabajos de campo relativos al examen de la sucesión de estratos rocosos y su contenido mineral y fósil. La utilización de los fósiles para clasificar las rocas en que se encontraban constituyó un avance metodológico, habiendo sido sugerido dicho método por Buffon, si bien no se usó ampliamente por vez primera hasta el agrimensor William Smith, 1769-1839, en Inglaterra, y hasta el biólogo Georges Cuvier, 1769-1832, en Francia. Smith estaba empleado para realizar trabajos topográficos en el canal de carbón de Somerset, por lo que viajó por Inglaterra para ver cómo se hallaban construidos otros canales. En el transcurso de este y otros trabajos sobre drenaje e irrigación, descubrió que los diferentes estratos rocosos de Inglaterra, desde el carbón hasta el gres, se podrían caracterizar por los fósiles que contenían. Smith sugirió que las rocas de diversos lugares que presentaban el mismo contenido fósil eran de la misma edad, si bien no propuso ninguna teoría relativa a la formación de los estratos rocosos. En 1799 publicó su método de clasificación de rocas, y en 1815 levantó un mapa geológico de Inglaterra que mostraba las bandas horizontales de roca a lo largo de la superficie del país. Más tarde, en 1817, publicó una carta que mostraba la sucesión vertical de los estratos bajo la superficie de Inglaterra. Smith prestaba atención fundamentalmente a los restos de animales marinos simples, especialmente conchas marinas, ya que estaba básicamente interesado en la clasificación de las rocas que los contenían. Por otra parte, Cuvier se hallaba más interesado por los restos fósiles de animales terrestres, dado que estaba interesado en reconstruir los animales extinguidos a partir de esos restos, problema que resultó más fácil de resolver en el caso de los animales vertebrados. Se ocupaba también del significado geológico de los fósiles, y en la introducción a sus *Investigaciones sobre huesos fósiles,* publicada en 1812, que trataba fundamentalmente de la reconstrucción de animales extinguidos, esbozó una teoría del desarrollo geológico de la Tierra.

Cuvier era muy contrario a las teorías de la evolución en biología, tal y como hemos visto por su actitud hacia el lamarckismo, y del mismo modo se oponía a la teoría huttoniana del desarrollo geológico. Era de la opinión de que los agentes geológicos actualmente operantes en la naturaleza no podían dar cuenta del desarrollo de las rocas, dado que no existía continuidad entre un estrato rocoso y otro. Sostenía que existían líneas de demarcación tajantes entre los estratos sucesivos, conteniendo cada capa de roca sus propios restos fósiles distintivos que no se encontraban en ninguna otra parte. Así, cada estrato tenía que ser producto de un poderoso agente particularizado y no de fuerzas menores que operasen continuamente. Pensaba que esos agentes eran una serie de inundaciones catastróficas, la última de las cuales había tenido lugar hacia la época del Diluvio universal, hace unos cinco o seis mil años. Cada una de las inundaciones había barrido casi toda la población orgánica existente de la superficie de la Tierra, erosionándola y depositando a medida que bajaba la inundación un nuevo estrato de roca con los restos de las criaturas vivas. Las catástrofes también alteraban e inclinaban los estratos dejados por anteriores inundaciones, explicando así el hecho de que las rocas primitivas se hallan más distorsionadas e inclinadas que las posteriores. Cuvier ejerció una gran influencia y eliminó efectivamente en Francia durante algunas décadas la idea de la evolución geológica, del mismo modo que había hecho con la idea de la evolución biológica. Él, por su parte, era un neptunista, mas no todos sus seguidores mantenían que las catástrofes geológicas formativas se debían a inundaciones marinas. Elie de Beaumont, 1798-1874, un profesor de la Escuela de Minas de París, sugería en 1829 la opinión vulcanista de que las catástrofes geológicas eran provocadas por la resquebrajadura repentina de la corteza sólida de la Tierra, debido al enfriamiento y contracción del interior líquido. En Alemania, el discípulo de Werner, Leopold von Buch, 1774-1852, adoptó una teoría similar, aunque ni él ni Beaumont podían aceptar la idea de una evolución geológica lenta y gradual de la Tierra, que se hallaba asociada en Inglaterra al punto de vista vulcanista.

En Inglaterra, las teorías de Werner y Cuvier fueron bien recibidas, dado que chocaban menos con la teología del momento que la teoría de Hutton. Tanto el profesor de geología de Cambridge, Adam Sedgwick, 1785-1873, como el de Oxford, William Buckland, 1785-1856, se habían ordenado, siendo ambos neptunistas ardientes. La obra de Buckland, *Las reliquias del diluvio,* publicada en 1823, constituyó el último intento importante de combinar la teología con la geología. Postuló la existencia de un período preadámico, que duraba quizá unos millones de años y que abarcaba el período entre la creación originaria de los cielos y la Tierra y el primer día del Génesis. Buckland pensaba que durante ese período preadámico habían tenido lugar los cambios geológicos principales al modo sugerido por Werner y Cuvier. Al principio también Sedgwick era neptunista. En 1819, poco después de haber sido nombrado para la cátedra de geología que Woodward había fundado en Cambridge, escribió que se hallaba «poseído por las nociones wernerianas, presto a sacrificar mis sentidos a dicho credo; un esclavo werneriano». No obstante, él y su amigo Roderick Murchison, 1729-1871, un noble del campo, desarrollaron investigaciones que finalmente acabaron con el esquema geológico de Werner. William Smith había investigado los estratos más recientes que contenían fósiles, siendo el límite inferior de sus investigaciones las series carboníferas. Sedgwick y Murchison estudiaron las rocas más antiguas que se encuentran en Gales, rocas primarias que contenían pocos o ningún fósil, siendo muy poco probable que hubiesen sido formadas en función del agua por medios químicos y mecánicos. Sedgwick descubrió la serie cámbrica, y Murchison, el sistema silúrico, hallando ambos a medias las rocas devónicas que se encuentran entre las series silúricas y carboníferas. Viajaron entonces por el continente para examinar en otros lugares rocas similares, y para 1829 habían llegado a la conclusión de que las rocas primarias se habían formado merced a la solidificación de rocas fundidas y no por cristalización a partir del agua, como había supuesto Werner. Sedgwick expresó haber perdido dos años de trabajo por haber aceptado las ideas de Werner, si bien ahora aceptaba sólo los aspectos vulcanistas de la obra de Hutton, aunque no sus puntos de vista evolucionistas.

Con todo, uno de los discípulos de Buckland, Charles Lyell, 1797-1875, descubrió independientemente partes de la teoría geológica de Hutton, llevando a cabo más tarde un estudio de su obra. El propio Lyell no realizó grandes descubrimientos prácticos en geología, siendo su gran contribución conectar los hechos dispersos del área. Viajó mucho, examinando los estratos rocosos de diversas partes de Europa, y leyó mucho, de manera que fue capaz de aportar en apoyo de la teoría de la evolución geológica un cuerpo de hechos mucho mayor que el que Hutton había esgrimido. Su obra principal era *Los principios de la geología. Intento de explicar los primitivos cambios de la superficie de la Tierra por recurso a las causas actualmente operantes,* publicada en 1830-1833. En ella, Lyell repetía los postulados principales de Hutton, a saber, la premisa de que las fuerzas geológicas actualmente en funcionamiento son las únicas que habría que utilizar para explicar la historia pasada de la Tierra, para lo cual es preciso suponer que han transcurrido períodos de tiempo indefinidamente prolongados.

Las ideas limitadas por lo que respecta a la magnitud del tiempo transcurrido han tendido más que cualquier otro prejuicio a retra-

> sar el progreso de la geología -escribió-, y hasta que no nos acostumbremos a contemplar la posibilidad de un lapso indefinido de eras [...] estaremos en peligro de forjarnos las opiniones más erróneas en geología.

Werner había partido de un origen definido, aunque hipotético, de las rocas, el océano primigenio, y había argumentado hacia adelante. Hutton y Lyell partieron de las fuerzas geológicas de la naturaleza actuales, argumentando hacia atrás. Este punto de vista se denominó «uniformismo», suponiendo que las fuerzas de la naturaleza habían sido siempre las mismas que ahora. Los primitivos filósofos mecánicos habían supuesto que los sistemas materiales de la naturaleza, el sistema solar y las especies orgánicas, eran constantes a lo largo de la historia de la Tierra. En este momento se produjo un cambio, siendo las fuerzas y no los sistemas materiales de la naturaleza lo que se consideraba constante. De este modo, la materia de la Tierra se transformaba mediante la operación de las mismas fuerzas constantes, con lo que la idea de evolución geológica se dedujo de una ampliación de la anterior visión mecánica ahistórica de la naturaleza.

Lyell era hasta tal punto un uniformista al principio que se resistía a admitir que hubiese algún cambio importante en la condición de la Tierra, aparte de la sucesiva sedimentación de estratos rocosos. Admitía que se habían dado cambios climáticos, atribuyéndolos a las variables distribuciones de tierra y agua, mas inicialmente se negó a admitir que hubiese habido cambio alguno en la población orgánica de la Tierra, razón por la cual rechazó la teoría lamarckiana de la evolución biológica en 1820. No obstante, la sucesión de fósiles en las series de estratos rocosos implicaba que, si se había dado una evolución geológica, tenía que haberse dado también una evolución de las especies orgánicas. Así, en la década siguiente, Lyell cambió de opinión al respecto. En una carta de 1836 a John Herschel, decía:

Por lo que respecta al origen de especies nuevas, me place mucho hallar que considera usted probable que pueda operarse mediante la intervención de causas intermedias. Dejo que esto tenga que ser inferido, pues no creo que merezca la pena ofender a cierto tipo de personas afirmando explícitamente lo que sólo sería una especulación.

Tal inferencia era obvia también para los geólogos más viejos, que se oponían a la teoría de Lyell. Adam Sedgwick, el más agudo de la vieja escuela, señaló en su alocución presidencial a la Sociedad Geológica en 1831 que una de las mayores dificultades de la teoría de Lyell era que implicaba la evolución de las especies orgánicas.

He de recordarles –decía– que en el mismísimo comienzo de nuestro avance [al rastrear retrospectivamente la historia geológica], nos hallamos rodeados de formas animales y vegetales de las que no existen actualmente tipos vivos. Y yo me pregunto, ¿acaso no tenemos en estas cosas una indicación de cambio y de un poder de ajuste totalmente diferente de lo que actualmente entendemos por leyes de la naturaleza? ¿Habremos de decir con los naturalistas de siglos pasados que no son sino caprichos de la naturaleza, o habremos de adoptar la doctrina de la generación espontánea y la transmutación de las especies con toda su secuela de consecuencias monstruosas?

Cuando Darwin publicó *El origen de las especies* en 1859, Lyell estaba entre los primeros que aceptaron sus puntos de vista. Sedgwick, en 1865, señaló de nuevo:

Lyell ha tragado toda la teoría, lo que no me sorprende, pues sin ella los elementos de geología, tal y como él los expone, serían ilógicos [...]. Que lo adornen como quieran –continuaba–, pero la teoría de la transmutación desemboca en el noventa por ciento de los casos en un consumado materialismo.

En virtud de razones de este tipo, y no merced a objeciones científicas serias, la teoría de Lyell recibió la oposición de la mayoría de los miembros importantes de la Sociedad Geológica Británica, como fue el caso de Sedgwick, Buckland y Murchison. Con todo, la oposición a Lyell no fue tan notable como la que se encontraron los partidarios de la teoría huttoniana a comienzos de siglo. En 1831, Lyell fue nombrado profesor de geología en el King's College de Londres, una institución recién fundada de la Iglesia de Inglaterra. El comité de selección estaba formado por eclesiásticos anglicanos, uno de los cuales, el obispo de Llandaff, expresó sus reservas acerca de las opiniones de Lyell, aunque a pesar de ello fue nombrado para el cargo. En la década de los treinta, la situación de la geología era muy distinta de lo que había sido a comienzos de siglo. Se conocía mucho mejor la naturaleza de la sucesión histórica de los estratos rocosos en diversas partes del mundo, especialmente en Europa. Además, el clima intelectual había cambiado, hallándose ahora más hondamente imbuido en la idea del progreso histórico de la humanidad, lo que parece haber conducido al desarrollo de las teorías evolucionistas en la ciencia. De hecho Lyell señaló diversas analogías entre las investigaciones geológicas y el estudio de la historia; en realidad, se dice que su uniformismo geológico le fue sugerido por el desarrollo gradual de la Constitución Británica, a la manera en que las teorías catastrofistas de los franceses pueden haber estado sugeridas por la más turbulenta historia reciente de Francia. Lyell aseguraba que el estudio geológico de la tierra era estrictamente análogo al estudio arqueológico de la historia humana, dedicándose más adelante a este tema y escribiendo en 1863 su obra sobre *La antigüedad del hombre.*

Los contemporáneos de Lyell en el mundo científico no aceptaron en general sus teorías, siendo excepciones notables el físico John Herschel y el geólogo-político Poullet Scrope. La recensión que hizo Scrope de *Los principios de la geología* contribuyó notablemente a popularizar la obra, vendiéndose unos seiscientos cincuenta ejemplares en los tres meses anteriores a la recensión y mil quinientos poco después. En la siguiente generación de científicos el punto de vista de Lyell se aceptó ampliamente, desarrollando Charles Darwin, el representante más notable de dicha generación, las implicaciones de dicho punto de vista, previstas ya por Sedgwick y el propio Lyell. Los primeros trabajos de Darwin se encuadraban en el campo de la geología y, según nos dice en su *Autobiografía,* fue el estudio de la geología lo que lo condujo a la teoría de la evolución de las especies, si bien sacó la idea del mecanismo de dicha evolución de otra parte, el ensayo de Malthus sobre la población. Aunque los geólogos mayores rechazaran la teoría de Lyell, se hizo inmensamente popular entre los círculos de clase media en los que, dicho sea de paso, era más acusada la idea de progreso. El popular autor de temas históricos y políticos, Harriet Martineau, escribía en la década de los cuarenta, quizá exagerando un tanto, que:

> El público general de clase media compró cinco ejemplares de una obra cara sobre geología por cada una de las novelas más populares de la época.

En su novela *Tancredo,* publicada en 1847, Disraeli ilustra la influencia que ejercía la geología sobre los círculos de clase alta, si bien al parecer aquí la nueva teoría fue recibida con una actitud más ambigua.

2. Las teorías sobre la evolución de las especies en el siglo XIX

A finales del siglo XVIII aparecieron en Alemania, Francia e Inglaterra diversas versiones de teorías acerca de la evolución biológica. En Alemania estaba la escuela de los filósofos de la naturaleza, que concebían las especies orgánicas como otras tantas realizaciones materiales, separadas y desconexas, de los estadios por los que había pasado el espíritu del mundo en el transcurso de su automovimiento ínsito hacia el predestinado final humano. En Francia estaba Lamarck, quien concebía las especies animales como descendiendo materialmente unas de las otras, progresando los animales en virtud de una fuerza expansiva interna y por la adición heredada de lo adquirido del medio. En Inglaterra estaba Erasmus Darwin, quien propuso doctrinas acerca de la evolución orgánica similares a las de Lamarck, si bien tuvo además una idea curiosamente británica y más adelante muy fecunda, la idea de que los organismos progresan compitiendo entre sí por el sustento o por las hembras de su especie. Estas diferencias nacionales en la teoría biológica prosiguieron en un grado considerable durante el siglo XIX, si bien se dio una cierta dosis de cruces, apareciendo algunas teorías híbridas fértiles. Cada una de las diversas teorías formaba parte de su propia corriente nacional: en Alemania la preocupación por la historia y la tradición místico-alquímica, en Francia las doctrinas sobre el progreso de carácter psicológico y sociológico políticamente, en Inglaterra las teorías del *laissez-faire* acerca del progreso económico y social, que sugerían que había que dejar a las personas en libertad para buscar su propia felicidad y sus propios fines individuales en competencia con otros individuos.

Erasmus Darwin, como otros miembros de la Sociedad Lunar de Birmigham, estaba influenciado por los filósofos franceses del siglo XVIII, si bien aplicaba esta idea típicamente británica de la competición entre individuos a su teoría biológica. Darwin el Viejo creía en el progreso, tal y como habían hecho los teóricos del *laissez-faire*, Adam Smith (1776) en economía y Jeremy Bentham (1789) en filosofía moral. Sin embargo, fueron seguidos por Robert Malthus, que recurría a la idea de competición entre individuos para mostrar que el progreso humano era imposible, en opinión a las teorías de los filósofos franceses y sus seguidores ingleses, como William Godwin. Malthus hizo públicas sus opiniones en *Un ensayo sobre el principio de la población en cuanto afecta a la futura mejora de la sociedad, con consideraciones acerca de las especulaciones del Sr. Godwin, el Sr. Condorcet y otros autores*, publicado en 1798.

> Creo que puedo establecer perfectamente dos postulados –escribía Malthus en esta obra–. Primero, que la alimentación es algo necesario para la existencia del hombre. Segundo, que la pasión entre los sexos es necesaria y permanecerá aproximadamente en su estado actual.

Siendo así las cosas, argumentaba:

> Digo que la potencia de la población es indefinidamente superior a la potencia de la tierra para producir sustento para la humanidad [...]

(ya que) la población sin controlar aumenta en razón geométrica, mientras que el sustento sólo crece en razón aritmética. Una ligera familiaridad con los números mostrará la inmensidad de la primera potencia en comparación con la segunda.

Por tanto, nunca podría haber alimentos suficientes para toda la humanidad, dado que cualquier avance en agricultura se veía inmediatamente neutralizado por un número mayor de niños que llegaban a la madurez, de manera que el nivel de vida seguía siendo el mismo.

En consecuencia, si las premisas son justas –escribía Malthus–, hay un argumento concluyente contra la perfectibilidad de la humanidad.

Malthus era de la opinión de que la vida de la humanidad formaba un todo con la del mundo orgánico en su conjunto.

Por todo el reino animal y vegetal –escribió– la naturaleza ha esparcido las semillas de la vida con mano pródiga y liberal. Ha sido comparativamente tacaña en el espacio y alimentos necesarios para criarlos. La estirpe de los animales y de las plantas disminuye ante esta gran ley restrictiva, y la estirpe humana no puede hurtarse a ella mediante esfuerzo alguno de la razón. Entre los animales y plantas, sus efectos son el desperdicio de semillas, la enfermedad y la muerte prematura, mientras que entre los hombres son la miseria y el vicio.

Fue esta idea la que suministró a Charles Darwin, 1809-1882, su mecanismo de evolución biológica: los organismos compiten por fuentes limitadas de alimentos, sobreviviendo y reproduciéndose aquellos dotados de variaciones favorables. No obstante, en virtud de sus estudios geológicos, Darwin estaba convencido de que se había dado una evolución de las especies antes de que dispusiese de su mecanismo para explicar cómo había ocurrido. Charles Darwin era hijo de un doctor de Shrewsbury y nieto de Erasmus Darwin y Josiah

Wedgwood, el ceramista, los cuales habían estado conectados con la Sociedad Lunar de Birmingham. En 1825 Darwin fue a estudiar medicina a Edimburgo. Allí estaba Robert Jameson, discípulo de Werner, vociferando aún en contra de la teoría geológica huttoniana y de los vulcanistas en general. Encontró tan «increíblemente pelmas» las clases de Jameson que decidió jamás «leer un libro de geología o estudiar de ninguna manera dicha ciencia». No obstante, Darwin abandonó la medicina y se fue a Cambridge con la intención de ordenarse. Allí Sedgwick y Henslow, los profesores de geología y botánica respectivamente, despertaron en él el deseo de estudiar de nuevo geología e historia natural, acompañando a Sedgwick en una de sus exploraciones geológicas por Gales. Darwin estaba tan bien considerado por sus maestros que lo recomendaron para el puesto de naturalista en un viaje de exploración del gobierno al Pacífico sur, puesto que aceptó. Henslow recomendó a Darwin que llevase unos cuantos libros con él en el viaje, incluyendo entre ellos el primer volumen de *Los principios de la geología* de Lyell que acababa de salir, si bien advirtió a Darwin que «no aceptase bajo ningún pretexto las opiniones allí expuestas».

La expedición partió en el *Beagle* en diciembre de 1831 y, tras una extensa observación de las costas de Sudamérica y los archipiélagos del Pacífico, volvió en octubre de 1836. A lo largo del viaje, Darwin no sólo aceptó las doctrinas de Lyell, sino que las amplió. Escribiendo de vuelta a casa, decía:

> Me he convertido en un fiel discípulo de las doctrinas del Sr. Lyell tal y como se exponen en su libro. Tras haber practicado la geología en Sudamérica, me siento tentado a llevar algunas partes mucho más lejos aún de lo que él lo hace.

Durante los cinco años del viaje, Darwin recogió grandes colecciones geológicas, botánicas y zoológicas, si bien las geológicas fueron las más importantes, pues confesó que entonces poseía pocos conocimientos biológicos, siendo incapaz de dibujar adecuadamente los organismos que veía. Al volver a casa, las primeras obras de Darwin versaban sobre temas geológicos, especialmente sobre la *Estructura y distribución de los arrecifes de coral,* publicada en 1842, donde proponía la teoría de que los arrecifes y los atolones de coral se debían al hundimiento gradual de masas de tierra o islas, construyendo los corales sus arrecifes de modo que la parte superior se encontrase en la superficie del océano.

No obstante, los fenómenos biológicos que había observado en el viaje en el *Beagle* habían llamado ya su atención sobre la posibilidad de la evolución de las especies orgánicas. Había visto cómo especies estrechamente relacionadas se habían sucedido unas a otras a medida que descendían hacia el sur por el continente americano, así como que las especies del archipiélago de las Galápagos se asemejaban a las de Sudamérica, si bien diferían ligeramente incluso entre unas islas y otras. Escribió en su *Autobiografía*:

> Era evidente que hechos como éstos sólo se podrían explicar suponiendo que las especies se modifican gradualmente, tema que me fascinaba. Mas era asimismo evidente que ni la acción de las condiciones ambientales ni la voluntad de los organismos (especialmente en el caso de las plantas) podía explicar los innumerables casos en los que los organismos de todo tipo se hallan maravillosamente adaptados a sus hábitos de vida [...]. Tras mi vuelta a Inglaterra me pareció que, siguiendo el ejemplo de Lyell en geología y recogiendo todos los hechos que tuviesen algo que ver con la variación de animales y plantas en situación de domesticación o de naturaleza, quizá se hiciese alguna luz sobre la cuestión. Abrí mi primer cuaderno de notas en julio de 1837. Trabajaba desde un punto de vista genuinamente baconiano y, sin teoría alguna, recogí hechos en gran escala, especialmente por lo que atañe a las producciones en condiciones de domesticación, enviando cuestionarios impresos, utilizando conversaciones con experimentados criadores y jardineros, y leyendo a mansalva [...]. Pronto me di cuenta de que la selección era la clave del éxito humano en la creación de razas útiles de ani-

Diferentes especies de pinzones de Darwin en las islas Galápagos.

males y plantas. Mas durante algún tiempo seguía siendo un misterio para mí cómo era posible aplicar la selección a los organismos que vivían en estado natural.

De este modo, aplicando el punto de vista y el método de Lyell de la geología a la biología, Darwin llegó a la conclusión de que las especies orgánicas habían evolucionado a lo largo del tiempo, si bien tuvo que sacar de otra fuente el mecanismo mediante el cual se había realizado esta evolución.

> En octubre de 1838 –escribió–, esto es, quince meses después de iniciar mi investigación sistemática, me puse a leer por distracción el escrito de Malthus sobre la población, y hallándome bien dispuesto para apreciar la lucha por la existencia que se desarrolla por doquier, gracias a una larga y continua observación de los hábitos de los animales y las plantas, inmediatamente se hizo claro que bajo tales circunstancias las variaciones favorables tenderían a preservarse y las desfavorables a destruirse. El resultado de ello sería la formación de una nueva especie. Así pues, ahí tenía una teoría al fin con la que trabajar.

Darwin pasó los siguientes veinte años recogiendo información para demostrar esta teoría de la evolución de las especies mediante la selección natural, elaborando sus consecuencias e implicaciones.

Mientras tanto, otro naturalista inglés, Alfred Russell Wallace, 1823-1913, llegó independientemente a la teoría de la selección natural. Wallace visitó el archipiélago malayo, donde observó que las islas vecinas estaban habitadas por especies estrechamente relacionadas aunque diferentes, tal y como había hecho Darwin antes que él en las Galápagos. Allí fue donde Wallace dio con la teoría de la selección natural, derivándola como Darwin de Malthus. Según dejó constancia en su autobiografía:

> En febrero de 1858 [...] el problema (de la evolución) se me planteó y algo me llevó a pensar en los controles positivos descritos por Malthus en su *Ensayo sobre la población*, libro que había leído varios años antes dejando una huella profunda y permanente en mi mente. Estos controles –guerra, enfermedad, hambre y similares– tienen que actuar, se me ocurrió a mí, tanto sobre los animales

como sobre los hombres. Pasé entonces a considerar la multiplicación enormemente rápida de los animales, lo que hace que estos controles sean en ellos mucho más efectivos que en el hombre, y mientras cavilaba vagamente sobre este hecho, se me ocurrió de pronto la idea de la supervivencia del más apto; esto es, que los individuos eliminados por estos controles deben ser por norma general inferiores a los que sobreviven. Redacté mi escrito [...] y se lo envié con el siguiente correo al Sr. Darwin.

Darwin publicó el artículo de Wallace junto con uno suyo y al año siguiente, 1859, sacó su gran obra *El origen de las especies mediante la selección natural o la conservación de las razas favorecidas en la lucha por la vida.*

En esta obra Darwin proponía dos líneas argumentales en favor de la teoría de que las especies orgánicas habían evolucionado. En primer lugar, la distribución de las especies extinguidas en el tiempo, que había reunido a partir de la geología y la paleontología; y en segundo lugar, la distribución geográfica de las especies vivas en el espacio, con la que se había topado en su viaje en el *Beagle,* ampliándola con las obras de otros viajeros y geógrafos, especialmente Alexander von Humboldt, 1769-1859. También se basó en cierta medida en la obra embriológica de Von Baer, que, según él la interpretaba, mostraba que un organismo individual, al desarrollarse desde una célula única hasta el animal adulto, pasa por la historia evolutiva de su especie. No obstante, en conjunto Darwin extrajo muy pocos elementos de juicio de las fuentes alemanas y francesas. En las cuatrocientas páginas de *El origen de las especies* sólo se dedican diez páginas a discutir los testimonios embriológicos y cinco a las estructuras morfológicas de las criaturas, mientras que la teoría celular recibió escasa atención. Frente a los evolucionistas franceses y los filósofos de la naturaleza alemanes, Darwin no se apoyó en los sistemas clasificatorios de animales y plantas, ni en las comparaciones entre las estructuras anatómicas de los organismos adultos a fin de trazar una serie evolutiva. Además, no creía que los diversos organismos formasen una cadena evolutiva lineal, tal y como habían creído los franceses, ni pensaba tampoco que fuesen modificaciones radicales de un arquetipo ideal central, como habían supuesto los alemanes.

De hecho Darwin fue el primero que desarrolló consistentemente la idea de que la serie evolutiva de los organismos formaba un árbol del origen genealógico, con formas relacionadas ramificándose a partir de padres comunes, unas formas terminando en la extinción y otras sobreviviendo para presentar descendientes vivos en diversas partes de la Tierra. Trazó su árbol del origen genealógico a partir de la sucesión geológica de los animales fósiles, mostrando que el desarrollo embriológico de los animales individuales tendía aproximadamente a seguir el desarrollo evolutivo de sus estirpes, tal y como las mostraban los restos fósiles. Dicho árbol del origen genealógico se veía apoyado por los hechos de la distribución geográfica de animales y plantas. En las islas y otras regiones aisladas por barreras geográficas, se daban especies orgánicas que habían sido dominantes hacía tiempo, como el canguro y otros marsupiales en Australia. Eran fósiles vivientes preservados por su aislamiento. Si suponemos, escribía Darwin, que la evolución orgánica se ha producido,

> podemos ver por qué habría de darse un paralelismo tan sorprendente en la distribución de los seres orgánicos a lo largo del espacio y en su sucesión geológica a través del tiempo, pues en ambos casos los seres se han visto conectados por los lazos de la generación ordinaria y los medios de modificación han sido los mismos.

Cuando prestó atención al mecanismo de la evolución orgánica, Darwin empezó señalando las variaciones entre individuos de una especie orgánica particular como hecho observado. Una camada de animales domésticos contenía criaturas que divergían entre sí. Los criadores habían seleccionado de dichas camadas para la cría aquellos animales que exhibían las características que deseaban desarrollar de la forma más acusada, y por esos procedimientos habían producido todas las variedades de animales domésticos con los que se hallaban familiarizados. En la naturaleza el criador era sustituido por el mecanismo de selección natural: aquellas criaturas que presentaban variaciones favorables sobrevivían para reproducirse, mientras que las que presentaban variaciones desfavorables perecían. Darwin sugería que las especies, que en general no son interfértiles, no eran sino formas desarrolladas de variedades que son interfértiles. Así, los mecanismos de selección natural o artificial que producían nuevas variedades, a la larga producirían nuevas especies y finalmente nuevos géneros y órdenes de organismos. Como prueba adicional de la ubicuidad de las variaciones en el mundo orgánico, Darwin señalaba el hecho de que las especies más prolíficas y ampliamente distribuidas producían el mayor número de variedades. Tales variedades eran nuevas especies en formación, convirtiéndose las variedades en especies cuando desaparecen las formas intermedias. Por tanto, en la formación de nuevas especies resultan especialmente importantes la emergencia de barreras geográficas que separen las variedades y la divergencia gradual de las variedades durante períodos prolongados de tiempo.

La teoría de Darwin no exigía ningún mecanismo para la producción de variaciones en animales y plantas, ya que se podían dar por supuestas como hecho empírico. No obstante, especuló sobre el particular, sugiriendo que los cambios de clima, alimento y otras causas ambientales, especialmente aquellas que afectaban a los órganos reproductores, producían las variaciones en animales y plantas. Pensaba que tales variaciones eran ligeras e infinitamente variables, de manera que la evolución era gradual y continua.

Puesto que la selección natural actúa solamente por la acumulación de variaciones ligeras, sucesivas y favorables –escribió–, no puede producir modificaciones grandes o repentinas, sino que sólo puede actuar mediante pasos muy cortos y lentos.

A medida que se desarrollaban sus ideas, Darwin llegó a aceptar la opinión lamarckiana de que el uso o desuso de los órganos producía cambios heredados en los animales y las plantas. En la sexta edición de *El origen de las especies,* Darwin resumió su postura diciendo que la evolución

se ha producido principalmente por la selección natural de variaciones numerosas, sucesivas y pequeñas, asistida de manera importante por los efectos heredados del uso y desuso de las partes, y de un modo poco importante, por lo que respecta a las estructuras adaptativas pasadas o presentes, por la acción directa de las condiciones externas, así como por las variaciones que en nuestra ignorancia se nos antojan espontáneas.

Con todo, Darwin nunca aceptó la teoría de Lamarck y de su abuelo de que existía una fuerza rectora interna dentro de cada organismo que tendía a llevarlo hacia formas superiores y más perfectas. Confesaba que esas opiniones de Lamarck simplemente le asombraban, mientras que las obras de su abuelo las había leído «sin que produjesen el menor efecto». Por el contrario, Charles Darwin subrayaba el carácter pasivo de la evolución orgánica, que se producía por el mecanismo externo de la selección y no por una tendencia interna hacia una vida superior. Pensaba que eso mismo se podía decir del progreso de la humanidad. En el último párrafo de *El origen del hombre,* publicado en 1871, escribía Darwin:

Hay que excusar al hombre cuando siente cierto orgullo por haberse elevado, aunque no por su propio esfuerzo, a la cumbre misma de la escala orgánica; y el hecho de que se haya elevado, en lugar de haber sido colocado allí desde el comienzo, puede hacerle confiar en un destino aún superior en un futuro lejano.

Así pues, el progreso era una realidad, aunque se producía a pesar de los esfuerzos humanos. Era un proceso automático mediado, como decía Herbert Spencer, por «la supervivencia del más apto». Con estas creencias, Darwin, Wallace y Spencer se hallaban plenamente dentro de la corriente de los comienzos del pensamiento victoriano acerca del *laissez-faire.* Eran personas que habían madurado en el segundo cuarto del siglo XIX, cuando las teorías de los economistas políticos británicos y de los filósofos utilitaristas habían alcanzado una firme posición entre la opinión inglesa, junto con la idea del progreso y la evolución. Malthus expresó la idea de la «competencia» en una forma cruda y muy biológica, y quizá por tal motivo ejerció un influjo específico sobre Darwin y Wallace, mientras que la nueva sensibilidad por el progreso y la evolución los llevaron a invertir la conclusión pesimista de Malthus, considerando la competencia entre individuos por los medios de vida como una influencia progresiva más bien que conservadora del mundo tanto orgánico como humano. Herbert Spencer, 1820-1903, era inicialmente un tanto lamarckiano, mas, como Darwin y Wallace, se vio influido por las teorías de Malthus, deduciendo de ellas la idea de progreso. En 1852, antes de que apareciese la obra de Darwin, Spencer escribió en su *Teoría de la población deducida de la ley general de la fertilidad animal* que

> desde el principio, la presión de la población ha sido la causa próxima del progreso. Toda la humanidad se halla sujeta a su vez más o menos a la disciplina descrita. Pueden avanzar o no bajo ella, mas en la naturaleza de las cosas sólo quienes avanzan bajo ella terminan sobreviviendo.

Cuando apareció *El origen de las especies* de Darwin en 1859, Spencer extendió la teoría de la selección natural a la sociedad humana, viendo la «supervivencia de los más aptos» no sólo como el mecanismo de la evolución orgánica, sino también como el modo de progreso de la humanidad. Concretamente, a los ojos de Spencer justificaba y ejemplificaba las políticas del *laissez-faire* del período victoriano medio: el comercio libre y la competencia económica eran, por así decir, las formas sociales de la selección natural. Inmiscuirse en ellas sería interferir en el proceso de evolución cósmica, desajustando el vehículo del progreso humano.

Esta interpretación del darwinismo en términos del *ethos* típico del liberalismo contribuyó a asentar la popularidad de la teoría en los círculos de clase media. Hubo muchas críticas a la teoría de Darwin desde posiciones científicas, sociales y teológicas, pero en Gran Bretaña se aceptó con bastante rapidez. La oposición científica más importante vino de Richard Owen, 1804-1892, director del Museo de Historia Natural de Kensington, el más destacado estudioso inglés de anatomía comparada y huesos fósiles. Era discípulo del filósofo de la naturaleza alemán, Lorenz Oken, concibiendo las diversas especies orgánicas como producto de la acción de una fuerza vital ideal de la naturaleza. Dicha fuerza, escribía,

> produce la diversidad de forma propia de los cuerpos vivos a partir de los mismos materiales, diversidad que no se puede explicar por ninguna propiedad conocida de la materia.

En un artículo anónimo escrito para la *Edinburgh Review* en 1860, Owen criticaba duramente *El origen de las especies* de Darwin. Repetía allí su opinión de que la fuerza vital autodiferenciadora era responsable de la producción de las especies orgánicas, sugiriendo como elementos de juicio a su favor el hecho de que las criaturas unicelulares se estuviesen generando espontáneamente de manera continua y que, siendo ello así, difícilmente podían los animales superiores descender de ellos en una serie única. Según creía Darwin,

Owen fue también el que suministró material para los ataques lanzados por Samuel Wilberforce, obispo de Oxford, contra el libro de Darwin en la *Quarterly Review* y en la reunión de la Asociación Británica para el Avance de la Ciencia que tuvo lugar en Oxford en 1860. En esta reunión, Darwin fue hábilmente defendido por Thomas Henry Huxley, lo que le valió el título de «el bulldog de Darwin». Después de este debate, el darwinismo fue ampliamente aceptado por la opinión científicamente educada de Gran Bretaña, si bien Owen y el zoólogo católico St. George Mivart, 1827-1900, continuaron encastillados en su oposición, cosa que también hicieron el teólogo Samuel Wilberforce y los políticos George Campbell y William Gladstone.

El darwinismo no sólo se aceptó generalizadamente en Gran Bretaña, sino que además se extendió a otras esferas ajenas a la biología. La idea de la evolución se aplicó a la química, la astronomía, la lingüística y la antropología, si bien la teoría de la selección natural completa se aplicó sobre todo a la filosofía social y a la ética, dando lugar a la escuela del darwinismo social. Las doctrinas de esta escuela cambiaron con los acontecimientos. Herbert Spencer, el primer darwinista social, derivó los valores del período victoriano medio de la teoría de la selección natural, tal y como hemos visto. Los acontecimientos del último período victoriano, la lucha entre naciones ejemplificada en la guerra de los bóers, lo llenaron de desazón, ya que veía en la competencia industriosa y pacífica de las personas individuales el agente principal de la evolución social. Sin embargo, los nuevos acontecimientos podrían justificarse perfectamente con la teoría darwinista, habiendo sido previstos ciertamente en alguna medida por el historiador y economista Walter Bagehot, 1826-1877, en su libro de ensayos *Física y política, o ideas sobre la aplicación de los principios de la selección natural y la herencia a la sociedad política,* publicado en 1872. En esta obra, Begehot sugería que «la nación más fuerte ha conquistado siempre a la más débil», por cuyos medios «las mejores cualidades precisas en la civilización elemental se propagan y conservan», ya que «las cualidades más guerreras tienden principalmente al bien». La evolución de la sociedad humana había sido tan gradual y continua, no menos que automática, como Darwin había pensado que era la evolución de las especies. «Judea cambió en pensamiento interior en la misma medida en que Roma cambiaba en poder externo», escribía Bagehot. «Todo cambio era continuo, gradual y bueno.» En 1900, Karl Pearson, 1857-1936, del University College de Londres, escribió un ensayo, *Sobre la vida nacional desde el punto de vista de la ciencia*, en el que expresaba opiniones semejantes. Pearson mantenía que siempre había habido «una lucha de razas contra razas y naciones contra naciones».

> Quien nos diga –afirmaba– que ama al cafre como ama a su hermano probablemente se engañe a sí mismo. De lo contrario, lo único que podemos decir es que una nación compuesta por tales personas [...] no durará muchas generaciones: no puede sobrevivir a la lucha de las naciones.

Estas interpretaciones del darwinismo eran muy populares a finales del XIX, sin que hayan perdido aún completamente su atractivo.

Hablando en general, los propios biólogos no eran muy dados a tales interpretaciones. En su *El origen del hombre*, Darwin veía en el progreso y evolución de la humanidad el creciente dominio de los instintos cooperativos sobre los egoístas. Afirmaba que «los instintos sociales, más persistentes, conquistan a los menos persistentes». El discípulo de Darwin, Huxley, era muy contrario a las conclusiones de los darwinistas sociales, combatiéndolos en una serie de ensayos. En su conferencia sobre *La evolución de la ética*, pronunciada en 1893, Huxley afirmaba que el progreso humano no consiste en «imitar el proceso cósmico, y mucho menos en escapar de él, sino en combatirlo». Alfred Russell Wallace, que había llegado a la teoría de la selección natural independientemente de Darwin, dedujo de esta teoría las doctrinas de los socialistas cristianos en sus *Estudios científicos y sociales* publicados en 1900. En la lucha social por la existencia, sostenía, nadie debería tener una ventaja injusta en riqueza o educación; todos debemos partir iguales para obtener el pleno progreso de la humanidad.

El único modo de selección natural que puede actuar igualmente sobre las cualidades físicas, mentales y morales –escribió– entrará en juego bajo un sistema social que dé iguales oportunidades de cultura, educación, ocio y felicidad a todos los individuos. Esta extensión del principio de la selección natural que actúa en el mundo animal en general es, creo, totalmente nueva, siendo con mucho la más importante de las ideas nuevas que he dado al mundo.

Así pues, a fin de cuentas casi cualquier teoría acerca del progreso humano podía deducirse del darwinismo, si bien la interpretación que más influyó en Gran Bretaña y en los demás sitios fue la que hizo hincapié en el elemento competitivo de la sociedad humana.

Aparte de Gran Bretaña, el darwinismo se discutió más amplia y fogosamente en Alemania. En Francia y en América la teoría de la selección natural no encontró mucho apoyo popular o científico. En general, al darwinismo se enfrentaron inicialmente los científicos de la mayoría de los países, y cuando en la década de 1880 aparecieron las teorías de la evolución, tendían a adoptar la forma lamarckiana. En Francia, los seguidores de Cuvier, Elie de Beaumont, 1798-1874, Milne-Edwards, 1800-1885 y otros, se opusieron a la teoría de Darwin, cosa que también hicieron el fisiólogo Claude Bernard, 1813-1878, y el microbiólogo Louis Pasteur, 1822-1895. En América, Louis Agassiz, 1807-1873, profesor de geología en Harvard, era muy contrario al darwinismo, mientras que el profesor de botánica Asa Gray, 1810-1888, era amigo de Darwin y aceptaba sus puntos de vista. Agassiz provenía de una familia de hugonotes franceses de Suiza, estudiando con varios filósofos de la naturaleza en Alemania y con Cuvier en París. Realizó algunos trabajos de importancia sobre peces vivos y fósiles, así como sobre la acción geológica de los glaciares. Consiguientemente era un hombre de cierta influencia que ejercía en contra de los darwinistas, sosteniendo que las especies eran de creación divina y fijas para siempre, tal y como habían hecho otros protestantes dedicados a la sistemática antes que él, especialmente Linneo y Cuvier.

No obstante, en la siguiente generación de científicos hubo teóricos de la evolución, especialmente Brown-Sequard, 1817-1894, y Alfred Giard, 1846-1908, en Francia, y Edward Cope, 1840-1897, en América, todos los cuales se inclinaban por las teorías de Lamarck más bien que por las de Darwin. Brown-Sequard realizó algunos experimentos en los que dañaba el cerebro del cobaya, provocando la pérdida de sensibilidad en los dedos de las patas y nubes en los ojos. El animal se arrancaba a mordiscos los dedos insensibles, por lo que Brown-Sequard pretendía que las nubes oculares y la falta de dedos los heredaba la prole. Tales experimentos no fueron confirmados, con lo que la creencia en la heredabilidad de las mutilaciones se abandonó. Ciertamente, el propio Lamarck había rechazado la idea de que fuese heredado este tipo de caracteres. Brown-Sequard aceptó sólo la teoría lamarckiana de la herencia de los caracteres adquiridos. En América, también Cope aceptó la opinión lamarckiana de que había una fuerza interna en cada organismo que hacía que éste se desarrollase hacia formas superiores. Cope no identificó esta fuerza con el calor y la electricidad, tal y como Lamarck había hecho, sino que sostenía que se trataba de una fuerza espiritual semejante a la actividad de la mente humana. A este respecto, su teoría era un sistema híbrido de lamarckismo francés y filosofía de la naturaleza alemana.

En Alemania la teoría darwinista despertó una considerable controversia, en parte porque se oponía al punto de vista de los filósofos de la naturaleza y en parte porque se vio metida en la política de la época. Los liberales alemanes de mediados y finales del siglo XIX se hallaban divididos entre sí, uno de los grupos promoviendo la colaboración con los *junkers* para conseguir la unidad nacional y proponiendo el otro como objetivo primordial derribar a los *junkers*. Los que se oponían al darwinismo y algunos de los que lo defendían lo asociaron con el segundo grupo, más radical, de liberales, mientras que la filosofía de la naturaleza en sus formas tardías más materialistas y empíricas tendía a asociarse con el primer grupo, por más que hubiese filósofos de la naturaleza, darwinistas y científicos que tratasen de combinar ambas teorías, manteniéndose alejados del conflicto.

Cuando en 1860 *El origen de las especies* llegó a Alemania, su teoría se vio rechazada por la mayoría de los científicos más viejos, quienes, hablando en general, se hallaban bajo el influjo de la primera filosofía de la naturaleza. Entre ellos se hallaban los embriólogos Von Baer y Kolliker, el zoólogo Leydig y el botánico Braun, si bien el citólogo Schleiden estaba entre los primeros que aceptaron la teoría darwinista. Los biólogos más jóvenes sentían mayor simpatía por el darwinismo, e intentaban combinar la teoría con las ciencias de la embriología, la anatomía comparada y la teoría celular que se habían estudiado ampliamente en Alemania bajo el influjo de la filosofía de la naturaleza, aunque Darwin no les había prestado mucha atención. La primera figura importante en esta línea fue Carl Gegenbaur, 1826-1903, un profesor de Jena, donde Oken había trabajado a principios de siglo. Oken había concebido las diversas especies orgánicas como modificaciones de unas pocas formas ideales a arquetipos. Gegenbaur consideraba ahora estos arquetipos ideales como tipos ancestrales reales: eran estadios de la genealogía de las especies, procedentes las unas de las otras, y no estados del pensamiento del arquitecto de la naturaleza. Se ocupaba especialmente de la evolución de los huesos de la mano y del pie de los vertebrados, sosteniendo que procedían del sistema de aperturas branquiales de los peces primitivos que habían evolucionado hacia las aletas de los peces superiores y hacia las extremidades de los animales terrestres. Pensaba que se había dado un desarrollo semejante en el crecimiento embriológico de los animales terrestres superiores que pasan por una fase en que presentan aperturas branquiales como los peces.

El discípulo más destacado de Gegenbaur fue Ernst Haeckel, 1834-1919, quien también tenía una cátedra en Jena. Haeckel pertenecía al grupo de los liberales radicales, siendo él sobre todo quien convirtió el darwinismo en el arma del radicalismo filosófico en Alemania. Su principal trabajo empírico en biología consistió en la investigación de los radiolarios, de los que describió unas ciento cincuenta especies. Su obra, publicada en 1862, le valió la cátedra de Jena. A continuación se entregó a la difusión de una forma de darwinismo modificado en una serie de obras que tenían un estilo que iba de lo muy popular a lo académico. Su primera obra importante fue la *Morfología general,* publicada en 1866, en la que combinaba el darwinismo con elementos de las teorías de Lamarck y de los filósofos de la naturaleza, subrayando más que Darwin la doctrina de la herencia de los caracteres adquiridos bajo el influjo del medio y atribuyendo, como los filósofos de la naturaleza, las variadas producciones de la naturaleza a la operación de una única fuerza cósmica. Haeckel era un apasionado de la clasificación y, como Schelling, Hegel y Oken, buscaba en todas partes en la naturaleza divisiones triples. Todos los objetos presentaban tres atributos: materia, forma y energía. Así, estaba la ciencia de la química, que trataba de la materia, la morfología, que trataba de las formas, y la física, que trataba de la energía. Cada una de estas ciencias se podía subdividir a su vez en tres ramas: la morfología, por ejemplo, podría subdividirse en el estudio de los animales, las plantas y los protozoos, las criaturas unicelulares simples. Decía que el objeto de la morfología era hallar explicaciones causales de las estructuras poseídas por los organismos que eran monistas, esto es, que eran verdaderas de todos los grados de la naturaleza cubriendo tanto el mundo orgánico como el inorgánico. Así pensaba que estrictamente se podían comparar los cristales de sales y las células orgánicas por el modo en que crecían y por la composición y simetría de sus formas, ya que ambos eran producto de la misma materia y la misma fuerza cósmica. Tal punto de vista entrañaba que no había distinción cualitativa entre los grados psicológico, biológico y físico de la naturaleza, y que la naturaleza inorgánica debía poseer al menos latentemente las cualidades de los organismos superiores y del propio hombre. Ciertamente, Haeckel afirmaba que «no se puede concebir materia alguna ni espíritu alguno sin materia». De este modo, Haeckel terminó reintroduciendo en la biología el espíritu del mundo de los primitivos filósofos de la naturaleza, si bien él consideraba que dicho espíritu era la fuerza cósmica monista o la misma energía. «Todo átomo ha de poseer un alma –escribió–, pues posee cierta energía.» Tal idea permitió a Haeckel explicar la herencia de los caracteres adquiridos como algo debido simplemente a la memoria de los átomos que forman la semilla de la descendencia, doctrina por la que se habían inclinado otros que también habían aceptado el lamarckismo, especialmente Herbert Spencer y, por supuesto, Erasmus Darwin.

Haeckel prosiguió el trabajo de Gegenbaur sobre la clasificación de las especies orgánicas en una serie evolutiva, levantando diferentes árboles genealógicos para ilustrar las líneas de descendencia de diferentes géneros y especies. También asimiló la obra de los embriólogos alemanes al esquema darwinista, especialmente en su libro sobre *La histo-*

ria del hombre (1874). En esta obra Haeckel revivió y amplió el principio biogenético de Meckel, a saber, la idea de que los organismos individuales pasan a lo largo de su desarrollo embriológico por los principales estadios de la evolución de su especie. Haeckel reunió mucho material en apoyo del principio. El hombre, señalaba, comenzó la vida como un huevo unicelular, por lo que el primer animal tiene que haber sido como los protozoos unicelulares. El huevo se desarrolló para formar un grupo celular esférico, como el vólvox, que tiene que haber venido a continuación en la serie evolutiva. La esfera de células se invaginó luego para dar lugar a una especie de copa de doble pared, la gástrula, similar a la forma adulta de las esponjas que, consiguientemente, venían a continuación del vólvox. La gástrula se alargó, formando su interior los comienzos de la cavidad intestinal, desarrollándose también una nueva capa celular, el mesodermo, entre la capa externa, el ectodermo, y la interna, el endodermo. A continuación, estas tres capas dieron lugar a los diversos órganos del cuerpo adulto, formando el endodermo el tracto intestinal, el mesodermo los músculos y el ectodermo el tejido conjuntivo y el sistema nervioso. El principio biogenético que indica que el organismo individual recapitula la historia de su especie estimuló la investigación embriológica, por más que ya no se acepte en la forma en que lo expuso Haeckel. Tal recapitulación, por ejemplo, no se ha observado en el mundo vegetal. Con todo, Haeckel entre otros realizó un valioso servicio asimilando los trabajos alemanes en morfología, embriología y teoría celular al sistema darwinista, pues el propio Darwin sólo había tocado estos temas, basando sus puntos de vista principalmente en la distribución geológica de las especies extinguidas, así como en la distribución geográfica de las vivas.

De todos los evolucionistas alemanes de importancia durante el siglo XIX, quizá Haeckel fuese el que se hallaba más próximo a las doctrinas originales de Darwin. La filosofía de la naturaleza era aún muy fuerte en Alemania, llevando a otras teorías evolucionistas, una de las cuales ejerció una influencia notable. Dicha teoría fue propuesta por Carl Nageli, 1817-1891, profesor de botánica en Friburgo, Zúrich y Múnich sucesivamente. Estudió filosofía de la naturaleza con Oken y Hegel, y botánica con Candolle en Ginebra. Aunque estuvo influido por el darwinismo, Nageli nunca olvidó las doctrinas de sus primeros maestros, sino que se limitó a darles una forma más materialista. En 1884 publicó una obra titulada *Una teoría mecánico-fisiológica de la evolución,* en la que elaboró ideas que ya había desarrollado y publicado antes en 1844 y 1865. Nageli sostenía que la célula vegetal o animal no era la unidad fundamental de la vida orgánica, dado que la célula presentaba una estructura que ya se hallaba diferenciada. Las células se componían de unidades menores que denominaba «micelas», similares a cristales inorgánicos. Así, no había diferencia real entre la materia orgánica e inorgánica. Las micelas se unían mediante una atracción física, formando células vivas en presencia de agua.

De este modo, las criaturas vivas se generaban espontáneamente de continuo, desarrollándose en formas superiores en virtud de una fuerza perfectiva interna de carácter mecánico. No obstante, no había transición real de una especie a otra: los simios no eran en ningún sentido parientes de los hombres. El hombre había aparecido inicialmente como una simple criatura unicelular espontáneamente generada hace mucho tiempo. Los simios empezaron del mismo modo un poco más tarde, y los monos más tarde aún, mientras que los actuales protozoos acaban de engendrarse espontáneamente. Los animales que hoy son monos terminarán por ser hombres algún día, aunque para entonces el hombre habrá progresado todavía más. De este modo, Nageli expresó la opinión de los filósofos de la naturaleza de que las especies orgánicas poseen un origen común, y ninguna otra conexión material que no sea ésa. Todas las criaturas provienen de micélulas, aunque su carácter habrá de juzgarse por el grado de su desarrollo histórico interno a partir de su origen, y no por su semejanza externa con otros organismos.

Nageli era de la opinión de que Darwin no había explicado satisfactoriamente cómo podrían generarse los organismos superiores, con un conjunto de características más amplio y superior, a partir de criaturas inferiores. Pensaba que no era suficiente una sucesión de pequeñas variaciones favorables, siendo necesaria alguna fuerza rectora interna al organismo para llevar a cabo cambios tan notables. Nageli no concebía esta fuerza como un espíritu vital, sino como una fuerza físico-química análoga a la fuerza de inercia en la mecánica. Una bola continuará rodando hasta chocar con un obstáculo, y de la misma manera un organismo evolucionará hasta toparse con el obstáculo de la selección natural que poda las formas que no siguen la línea evolutiva predominante. Si no hubiese lucha por la existencia, la fuerza autodiferenciadora interna a los organismos produciría una enorme variedad de formas, con lo que la tierra se sobrepoblaría; sin embargo, merced al mecanismo de la selección natural, sólo se conservan las formas viables. Nageli suponía que la evolución no era un proceso gradual y continuo, sino que la fuerza interna se movía siguiendo las categorías de la dialéctica hegeliana, dando saltos. Por consiguiente, la evolución era discontinua, consistiendo en una serie de mutaciones. De hecho, el botánico holandés Hugo de Vries, 1848-1935, sacó de Nageli la idea de las mutaciones biológicas a finales de siglo.

Nageli hizo otra sugerencia importante en otro aspecto de la investigación genética. Señaló que ambos progenitores contribuían igualmente a la formación de la descendencia, aunque el huevo femenino era invariablemente mayor que el espermatozoide macho. Por consiguiente, sólo una parte del huevo podía ser la sustancia que determinaba la herencia, que él denominaba «idioplasma». Nageli sostenía que el idioplasma estaba compuesto por micélulas unidas en cadenas, siendo el único determinante de la forma adoptada por el organismo adulto. Así, la evolución consistía principalmente en los cambios discontinuos producidos en el idioplasma por la operación de la fuerza interna de cada organismo, mientras que la selección natural apartaba las formas inviables. El herboricultor austríaco Gregor Mendel, 1822-1884, halló que sus investigaciones genéticas sobre guisantes apoyaban la teoría particulista de la herencia de Nageli, por lo que le envió sus resultados. No obstante, Nageli escribió que las fórmulas de Mendel parecían «empíricas, más bien que racionales», por lo que ignoró su trabajo. Aunque Nageli era más materialista que los filósofos de la naturaleza primitivos, era casi tan especulativo como ellos. Pretendía que su teoría era racional y alemana, mientras que el darwinismo era sencillamente un ejemplo del empirismo inglés.

La teoría de Nageli acerca de una sustancia hereditaria o idioplasma, distinta de los tejidos corporales generales, fue tomada y desarrollada por August Weismann, 1834-1914, un profesor de zoología en Friburgo. En 1892 publicó un *Ensayo sobre la herencia y cuestiones biológicas emparentadas* en el que estableció una distinción tajante entre lo que denominaba «germoplasma», responsable de la transmisión de los caracteres hereditarios, esto es, el idioplasma de Nageli, y el soma o plasma corporal. Señalaba que las criaturas unicelulares simples se propagaban asexualmente dividiéndose en dos, con lo que resultaban inmortales, dejando de lado los accidentes. En los animales superiores el cuerpo es mortal, siendo sólo inmortal el germoplasma, que pasa de una generación a otra. En opinión de Weismann, el germoplasma era la parte importante del organismo, pues determinaba la forma y características del plasma corporal que servía para alimentar al germoplasma, de manera que pudiese reproducirse. No obstante, el propio cuerpo no tenía efecto alguno sobre el germoplasma, de manera que las características adquiridas por el cuerpo bajo el influjo del medio no podían pasar a la descendencia. Weismann trató de demostrar que así ocurría, cortando las colas de unas ratas durante una serie de generaciones, mostrando que los descendientes nacían siempre con cola. Interpretó este experimento como una refutación del punto de vista lamarckiano, aunque el propio Lamarck había dicho que las mutilaciones no se heredaban.

Weismann rechazó la teoría de Nageli de que las variaciones de perfección creciente se produjesen en el germoplasma en virtud de una fuerza vital interna al organismo. Pensaba que las variaciones se producían por la unión de dos germoplasmas diferentes, uno procedente de la madre y otro del padre. La descendencia no podía tener el doble de germoplasma que cualquiera de sus padres, de manera que sugirió ya en 1887 que el germoplasma de cada uno de los padres se divide en dos partes cuando se forma el huevo o el espermatozoide. Así, la unión de un óvulo y un espermatozoide confiere a la descendencia tanto germoplasma como el que tenía cada uno de los progenitores por cada lado. Esta predicción de los fenómenos de la meiosis se hizo unos cuantos años antes de que se rastrease plenamente de manera empírica mediante la investigación microscópica. Weismann sugirió también que el germoplasma estaba contenido en los cromosomas filiformes de los núcleos de las células sexuales, componiéndose el germoplasma de unidades que llamó determinantes, cada una de las cuales dirigía una característica particular del organismo. Esta propuesta se hizo también algunos años antes de que hubiese muchas pruebas de que los cromosomas eran de hecho los portadores de las cualidades hereditarias.

Las opiniones de Weismann recibieron la cerrada oposición de los neolamarckianos, especialmente Herber Spencer en Inglaterra, quien sostenía que las diversas combinaciones de los germoplasmas macho y hembra no darían lugar a variaciones importantes en la descendencia, concretamente a variaciones cualitativamente nuevas. En opinión de Spencer, tales variaciones sólo se podrían producir por mecanismos lamarckianos de la herencia de caracteres nuevos, adquiridos bajo el influjo de cambios ambientales. Como hemos visto, Spencer pertenecía al período victoriano medio con su firme creencia en el progreso. Weismann pertenecía a un período posterior y a otro país en el que dicha creencia no era tan acusada. La importancia fundamental de su teoría de «la continuidad del germoplasma» residía en el mantenimiento de las características ya poseídas por los organismos y no en el origen de nuevas variaciones favorables que eran las que interesaban a Spencer.

Lo peor de todo -escribía Weismann- es que difícilmente hay un caso en que podamos decir si determinada desviación es útil o no. No hay perspectivas de que alguna vez vayamos a poder ser capaces de hacerlo.

Las teorías de Weismann se aceptaron ampliamente en Alemania, incluso antes de que gozaran de un gran apoyo empírico, hecho que algunos autores atribuyen a la concordancia entre las opiniones de Weismann y las teorías raciales populares en Alemania. Resumiendo el desarrollo del siglo XIX, el biólogo Patrick Geddes, 1854-1932, observaba en su libro sobre *La evolución,* que escribió con otro biólogo, Arthur Thomson, 1861-1933, que las principales teorías sobre la evolución biológica parecían formar parte de las «transformaciones sociales» generales «de la época»:

La generación que llevó a cabo la revolución política en Francia -escribió- y la que llevó a término la revolución industrial en Inglaterra se han expresado de este modo a través de Lamarck y de

Darwin con una claridad mayor de la que cualquiera de esos pensadores pudiera haber soñado o de la que cualquiera de sus respectivos exponentes y discípulos han llegado a constatar [...]. Las interpretaciones lamarckianas de los efectos del uso y desuso, su firme insistencia en la libertad interior de los organismos para realizar sus íntimas capacidades, no son sino el nuevo paso en el progreso social mediante el abandono de los gastados órdenes sociales, abriéndose la libertad ante otros nuevos. *La carrière ouverte aux talents* es puro lamarckismo, así como también lo es la espléndida confianza de la época napoleónica de que «cada soldado francés lleva un bastón de general en su mochila». Sin embargo, el punto de vista empresarial más frío, tan característico del pensamiento inglés, prevaleció sobre esas exageraciones políticas y militares, levantándose los ideales de la eficiencia mecánica y del éxito individual y financiero sobre las ruinas de las aspiraciones liberales y las conquistas imperiales, tal y como tantas veces ha sucedido [...]. «La competencia es la vida del comercio»; ¿mas por qué no también el comercio de la vida? Sin embargo, con toda esta frescura y vigor de la aplicación económica, ha prevalecido en la mayoría, y sigue predominando, un ingenuo olvido de los orígenes sociales de los descubrimientos de estos naturalistas. De manera similar ocurre en la época neodarwinista. Con todo el respeto por Weismann, de cuya obra uno de nosotros ha sido repetidamente traductor y editor, el otro se aventura a insistir en una de las poquísimas críticas que ese pensador de amplias y nobles miras no parece haber tenido nunca en cuenta: el sorprendente paralelismo de su propia teoría del germoplasma con el pensamiento de la Alemania contemporánea; con las victorias y hegemonía de Prusia y también con las renovadas pretensiones de su aristocracia; y sobre todo, con sus doctrinas combinadas, antropológicas y políticas, sobre la raza. El paso intermedio entre este mundo prusiano dominador, volcado en la acción, y los antepasados de Weismann en la biología especulativa queda indicado por la ampliamente difundida doctrina del conde Gobineau, consciente y confesadamente biosocial. Todos estos movimientos han encontrado ahora una expresión elocuente, aunque escasamente científica, en Houston Stewart Chamberlain, cuya moda contemporánea en Alemania es merecida y queda explicada.

El conde Gobineau fue un francés que publicó un *Ensayo sobre la desigualdad de las razas humanas* en 1853. Houston

Stewart Chamberlain era un inglés, aunque se crió en Alemania y escribió en alemán *Los principios del siglo XIX*, publicado en 1899. Estos personajes eran de la opinión de que las diversas razas humanas eran tipos fijos que diferían ampliamente los unos de los otros. Creían que las razas arias eran superiores y que eran ellas solas las que habían construido la sociedad civilizada, siendo por tanto los gobernantes naturales del resto de la humanidad. El cruzamiento de los arios con razas inferiores, sostenían, llevaría a la degeneración de la especie humana. Se creía que tales opiniones eran apoyadas por las teorías de Weismann, ya que los rasgos distintivos de cada una de las razas residían, según se creía, y se perpetuaban a sí mismos en el germoplasma inmortal de sus miembros. Además, Weismann subrayaba el elemento competitivo de la teoría darwinista –«la omnipotencia de la selección natural», como él decía– que parecía justificar el dominio de las naciones y razas fuertes sobre las más débiles como un caso particular de la supervivencia del más apto. En las doctrinas de Weismann se hacía poco hincapié en la evolución y el progreso: sostenía que una especie degeneraría a menos que la selección natural eliminase continuamente las combinaciones débiles de los germoplasmas paternos. En la última década del siglo XIX la creencia en el progreso empezó a desvanecerse generalizadamente, con lo que el antiguo aforismo del general Pitt-Rivers de que «la historia es evolución y la ciencia sentido común organizado» se miró con el escepticismo con que lo vemos hoy. Darwin no se había adentrado plenamente en el terreno del pensamiento de su generación y, entre otras cosas, había señalado que los parásitos y las criaturas degeneradas eran tan producto de la evolución como los animales superiores: estaban perfectamente adaptados a sus medios un tanto restringidos. Esa idea se subrayó ahora. En Inglaterra, Ray Lankester publicó un ensayo sobre *La degeneración, un capítulo del darwinismo*, en 1890, mientras que desde Holanda llegó la obra *Para-*

sitismo orgánico y social de Vandervelde, en 1895, y *La evolución por atrofia en biología y sociología* por Demoor y otros, en 1894.

Los orígenes sociales de las teorías científicas son históricamente de considerable interés e importancia, mas el valor de una teoría científica como tal depende de su correspondencia con el conocimiento empírico. Es un indicio de la importancia de Lamarck que usase las ideas de los psicólogos y sociólogos franceses del siglo XVIII para algún fin: llenó las analogías formales entre el mundo humano y animal con un contenido empírico real. El significado de las teorías especulativas de Nageli y Weismann reside en el hecho de que algunas de sus ideas han suministrado el marco intelectual de la ciencia de la genética. El genio de Darwin lo llevó a interpretar un cúmulo de hechos mucho más amplio que los accesibles a Lamarck en términos del pensamiento ordinario inglés de sus días, o más específicamente las ideas de Malthus, trascendiendo en cierto grado las ideas limitadas de su época. Al hacerlo así, Darwin produjo una teoría de valor más fundamental; una teoría capaz de asimilar los trabajos desarrollados en otros países y los descubrimientos que iban a producirse en tiempos posteriores.

3. Las instituciones científicas en Francia y Gran Bretaña durante el siglo XIX

Durante el siglo XVIII, los filósofos naturales de Francia y Gran Bretaña fueron los más importantes del mundo científico. Como hemos visto, sus actividades fueron complementarias, inclinándose los franceses hacia la interpretación teórica de la naturaleza, y los ingleses, hacia la investigación empírica. Tal división metodológica de la ciencia de ambos países se disipó en gran medida durante el siglo XIX, si bien pervivieron algunas débiles trazas. En las primeras décadas del siglo XIX, los franceses estaban a la cabeza del mundo de la ciencia, pero no mantuvieron su impulso, y para la década de los cincuenta y los sesenta los británicos se hallaban de nuevo a la cabeza. Con todo, la primacía británica no duró mucho, pues para finales de siglo Alemania había superado a Inglaterra y a Francia por lo que a la ciencia se refiere.

El cambio de carácter de la ciencia francesa y su rápido desarrollo a finales del siglo XVIII tuvo mucho que ver con los acontecimientos de la Revolución francesa. Los científicos franceses hallaron sus actividades dirigidas a fines prácticos, lo que parece haberles conferido más gusto por la experimentación del que antes tenían, a la vez que se creaban instituciones científicas que formaban a los talentos científicos que iban a ponerse a la cabeza de la ciencia durante los primeros años del siglo XIX. El primer problema práctico que plantearon los revolucionarios a los científicos franceses fue el de la normalización de los pesos y medidas en todo el país. A lo largo del siglo XVIII, en Francia los pesos y medidas variaban mucho de región a región. Por ejemplo, el metro que en París medía 100 centímetros medía 98 cm en Marsella, 102 cm en Lille y 96 cm en Burdeos. A petición de Talleyrand, la Academia de Ciencias de París estableció en 1790 un comité compuesto por Laplace, Lagrange, Lavoisier, Monge y otros para considerar el problema. Al año siguiente, el comité envió un informe a la Asamblea Constituyente proponiendo que el metro fuese una norma natural, a saber, la diezmillonésima parte de un cuadrante de la circunferencia terrestre, así como el gramo debía ser el peso de un centímetro cúbico de agua a 4° C. La Asamblea formó la Comisión General de Pesos y Medidas para llevar adelante estas propuestas, en orden a «poner fin a la asombrosa y escandalosa diversidad de nuestras medidas». El astrónomo Delambre, 1749-1822, y Mechian, 1744-1804, triangularon la distancia entre Dunquerque y Barcelona para medir el cuadrante de la circunferencia terrestre, completándose las nuevas medidas en 1799. Todos los países fueron invitados a adoptar el sistema y todos los del continente terminaron por hacerlo.

Con la caída de los girondinos y la subida al poder de los jacobinos en 1793, la Revolución francesa adoptó un tono más radical, cerrándose muchas de las viejas instituciones, incluyendo la sociedad científica principal, la Academia de Ciencias de París. Además, los científicos asociados con el *ancien régime* o los girondinos fueron ejecutados, como le ocurrió a Lavoisier, que había dirigido la *Ferme Générale*, y al astrónomo Bailly, quien en su calidad de alcalde de París se había opuesto a los jacobinos. Se pusieron manos a la obra para arrestar al secretario de la Academia de Ciencias,

Condorcet, que se había opuesto a la ejecución del rey y a otras medidas, pero se anticipó a sus captores suicidándose. Coffinhall, el vicepresidente del tribunal que juzgó a Lavoisier, declaró que «la República no necesita sabios», mientras que Durand de Maillane, otro jurista, estimaba que Francia «ya tenía demasiados estudiosos». Tal actitud hacia la ciencia era ya poco realista siglo y medio antes, pues, como escribió Maury, el historiador de la Academia de Ciencias, en 1864:

> Faltaba de todo para la defensa del país, pólvora, cañones y provisiones. El arsenal se hallaba vacío, ya no se importaba acero del exterior y no llegaba salitre de la India. Eran precisamente las personas cuyo trabajo se había proscrito las que podrían dar a Francia lo que precisaba.

Consiguientemente, la Convención convocó a los científicos para satisfacer estas necesidades técnicas, fundando instituciones para formar más científicos. Gaspard Monge, 1746-1818, que había desarrollado la geometría descriptiva que trata acerca de los métodos de representar sólidos en papel, investigó la fundición y perforación de cañones, siendo nombrado ministro de la Marina. Su amigo, Lazare Carnot, 1753-1823, otro matemático, fue nombrado ministro de la Guerra, en calidad de lo cual sus servicios le valieron el título de «Organizador de la Victoria». El químico Fourcroy, 1755-1809, prosiguió las investigaciones que había realizado Lavoisier, en conexión con su puesto de director de las manufacturas de pólvora, sobre la extracción de salitre del estiércol. Berthollet, 1748-1822, que había dirigido la industria estatal de teñido, experimentó con clorato sódico, un producto químico que había descubierto, como alternativa al salitre, y junto con Morveau, 1737-1816, otro químico, descubrió un método para fabricar salitre sintético mediante la oxidación del amoníaco.

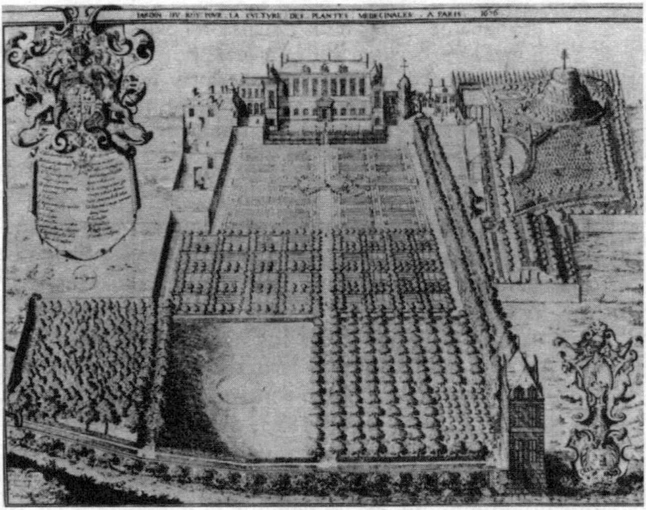

Los Jardines del Rey en París.

Tales contribuciones demostraban que la ciencia podría resolver los problemas técnicos de la época, y para hacer progresar a las ciencias se reformaron las viejas instituciones, creándose otras nuevas. Se abrieron de nuevo los Jardines del Rey en 1794 como Museo de Historia Natural, transformándose los puestos jerárquicos de la vieja institución en nueve cátedras de igual condición. En 1795 la Academia de Ciencias se reconstituyó como una de las tres secciones del Instituto de Francia, cubriendo las otras secciones la literatura y las ciencias morales y políticas. La vieja Academia de Ciencias había contado con doce miembros honorarios elegidos entre la nobleza, que eran los únicos que podían llegar a ser presidentes o vicepresidentes de la Academia, y dieciocho pensionados que, junto con los miembros honorarios, regían las elecciones de la sociedad y sus asuntos; venían luego doce asociados y doce adjuntos, junto con algunos asociados libres, otros jubilados y miembros extranjeros que tenían derechos y deberes muy diversos. La sección científica del Instituto de Francia constaba de unos sesenta miembros, que, como los miembros de la Sociedad Real, tenían voz y voto en los asuntos de su organización. No obstante, a la manera de los miembros de la vieja Academia de Ciencias, seguían siendo funcionarios pagados por el Estado.

La Convención Nacional estableció diversas escuelas militares y médicas en 1794, así como el Conservatorio de Artes y Oficios, que era una escuela técnica y un museo. Al mismo tiempo fundaron la Escuela Politécnica y la Escuela Normal Superior, que fueron instituciones importantes dedicadas a la investigación y a la educación científicas en Francia a lo largo de todo el siglo XIX. La Superior se cerró tras cuatro meses y no fue importante hasta 1808, cuando Napoleón la abrió de nuevo. Sin embargo, la Politécnica floreció desde el primer momento. Se abrió en 1794 con cuatrocientos alumnos y un claustro compuesto por los más destacados científicos de la época. Laplace y Lagrange enseñaban física matemática, Monge enseñaba geometría, y Berthollet, química. Entre sus discípulos y sucesores se encontraban los físicos Malus, Arago, Poncelet, Poisson, Cauchy y Sadi Carnot y los químicos Gay-Lussac, Thenard, Vauquelin, Dulong y Petit. Bajo Napoleón se fundaron otras varias escuelas militares, médicas y técnicas por obra del químico Fourcroy, que fue nombrado ministro de Instrucción Pública, aunque eran de importancia menor. El propio Napoleón promovía los aspectos prácticos de la ciencia ofreciendo premios por descubrimientos útiles. También desanimaba a los pensadores especulativos, que proseguían la tradición de los primeros filósofos materialistas, como el psicólogo Cabanis, cerrando para ello en 1803 la sección del Instituto de Francia dedicada al estudio de las ciencias morales y políticas, que era su baluarte. De este modo, la ciencia francesa hízose más práctica y experimental durante el período napoleónico, a la vez que progresaban las técnicas de la industria francesa.

Con la restauración de los borbones en 1814 surgió un movimiento marcadamente anticientífico en los círculos oficiales y de moda de Francia. El movimiento se oponía particularmente a la tradición materialista y matemática de la ciencia francesa, y la Escuela Politécnica, notable por sus físicos matemáticos, habiendo conseguido algo así como una reputación revolucionaria, se clausuró en 1815. Madame de Staël y Chateaubriand proclamaron su desagrado hacia «toda esa partida de matemáticos». «Las matemáticas eran las cadenas del pensamiento humano –escribió Lamartine–; respiro y se rompen.» La filosofía de la naturaleza idealista y romántica alemana consiguió cierta popularidad, aunque no ejerció gran influencia sobre la ciencia francesa, exceptuando quizá la biología. La Politécnica y sus físicos matemáticos florecieron a lo largo de todo el período de la restauración, prosiguiendo su tradición en la Francia del siglo XIX.

Las instituciones científicas fundadas por la Convención Nacional en 1794 tuvieron como efecto concentrar la actividad científica de Francia en la capital, en las escuelas de París. Durante el siglo XVIII se habían dado florecientes academias científicas en provincias, mas a lo largo del siglo XIX la Politécnica y la Superior se convirtieron en la Meca de los jóvenes científicos franceses de las provincias y de la metrópoli. De este modo, las provincias vieron empobrecidos sus talentos científicos, realizándose esfuerzos para descentralizar la concentración de ciencia de París, especialmente mediante la fundación de la Asociación Francesa para el Progreso de la Ciencia, en 1870. Por otro lado, en Gran Bretaña, el desarrollo de la actividad científica de las provincias tornóse más y más acusado, hallando expresión en el desarrollo de las sociedades literarias y filosóficas provinciales en el siglo XIX. Como hemos visto, la primera de estas sociedades inglesas permanentes fue la Sociedad Literaria y Filosófica de Manchester, cuyas reuniones están registradas desde el año 1781. El siguiente período de la Revolución francesa y las guerras napoleónicas trajeron tiempos turbulentos, asistiendo a la disolución de la Sociedad Lunar de Birmingham. Sin embargo, en 1812 se fundó la Sociedad Literaria y filosófica de Liverpool, estableciéndose otra en Leeds el año 1818. Cuatro años más tarde se formó otra sociedad en Sheffield, naciendo al mismo tiempo la grande e importante Sociedad Filosófica de Yorkshire, que abarcaba todo el país. A partir de ese momento empezaron a crearse sociedades literarias y científicas provinciales al ritmo de cinco, diez, quince e incluso veinte por década, de modo que para finales de siglo se había fundado más de un centenar de dichas sociedades, y cada ciudad importante poseía su propia institución científica. La mayor parte de dichas sociedades eran asociaciones de aficionados, industriales y profesionales inclinados hacia el progreso del conocimiento y las aplicaciones de la ciencia y, más en general, a promover la economía y la cultura de su región.

La cuantía de los miembros de las sociedades provinciales oscilaba aproximadamente entre un centenar y quinientas personas, un volumen comparable al de la Sociedad Real durante los siglos XVII y XVIII, cuando acogía a la mayoría de los ingleses interesados por la ciencia y a otros muchos. Por tanto podemos decir que el número de ingleses activamente interesados por la ciencia aumentó al menos cien veces durante el siglo XIX. Estaban también las sociedades nacionales de especialistas, como la Sociedad Linneana, fundada en 1788, la Sociedad Geológica (1807) y la Sociedad Química (1840), que quizá se solapasen por lo que atañe a sus miembros con las sociedades científicas generales. Los encargados de la Sociedad Real torcían el gesto ante la formación de estas nuevas asociaciones, y cuando se discutía la fundación de una sociedad química metropolitana en 1806, la sugerencia no fue recibida con entusiasmo por el presidente de la Sociedad Real, sir Joseph Banks, de quien se dice que habría señalado: «Veo claramente que todas estas asociaciones de moda terminarán por desmantelar la Sociedad Real sin que dejen a la vieja dama ni un trapo con que cubrirse».

No faltaban en Gran Bretaña las asociaciones de científicos aficionados, pero parece haberse dado una insuficiencia de recursos para formar científicos en Inglaterra durante la primera mitad del siglo XIX. Durante el siglo XVIII las academias inconformistas habían prestado un valioso servicio a este respecto, mas en el XIX tornáronse en general estrechamente teológicas en la formación que ofrecían. Hubo que esperar a la década de 1850 para que Oxford y Cambridge se reformasen en virtud de una ley del Parlamento subsiguientemente a las Comisiones Reales de 1850-1851, siendo también entonces cuando aparecieron importantes universidades provinciales, apadrinadas frecuentemente por la Sociedad Filosófica y Literaria de su zona. En la primera mitad del siglo XIX se fundaron facultades en Londres (1826 y 1828) y Durham (1832), mas da la impresión de que los Institutos de Mecánica constituyeron en Inglaterra los establecimientos más importantes a la hora de suministrar una educación científica durante este período. En Escocia las universidades eran fundaciones más recientes con tradiciones más modernas, enseñándose y desarrollándose la ciencia en Glasgow y Edimburgo en una época temprana, especialmente por obra de Joseph Black y sus discípulos, a partir de los años de la década de 1760. El primer laboratorio químico para la enseñanza práctica se estableció en Glasgow en 1817 por obra de Thomas Thomson, el profesor de química, mientras que el primer laboratorio para la enseñanza de la física lo fundó William Thomson, luego lord Kelvin, cuando fue nombrado profesor de filosofía natural en Glasgow en 1846. De hecho fue Kelvin quien dio forma a la moderna estructura de la enseñanza de la ciencia, introduciendo el trabajo experimental como parte integrante de la formación del científico. Los Institutos de Mecánica también se originaron en Escocia. John Anderson, profesor de filosofía natural en Glasgow, dio clases sobre temas científicos a los artesanos a partir aproximadamente de 1760, legando su patrimonio para la fundación de un instituto dedicado a la enseñanza de las ciencias a su muerte en 1796. El doctor George Birkbeck fue profesor de física en la institución de Anderson en Glasgow hasta 1804, momento en que se trasladó a Londres, dando allí cursos de conferencias científicas que llevaron a la fundación del Instituto de Mecánica de Londres en 1823. En ese mismo año el Instituto de Mecánica de Glasgow se formó a base de unos cuantos profesores que procedían de la universidad. Luego, en 1825, se fundó un Instituto de Mecánica en Birmingham, surgiendo enseguida otros en la mayoría de las grandes ciudades del país, de manera que para 1850 había seiscientas de esas organizaciones que reunían más de cien mil personas. La mayoría de estos institutos poseían un nivel educativo bastante elevado, y ciertamente se dice de ellos que estaban «muy por delante de las universidades de Oxford y Cambridge por lo que respecta a las ciencias físicas» en aquellos momentos. El Instituto de Londres terminó por conseguir la condición universitaria como Birkbeck College, pero la mayoría de ellos se transformaron o fueron sustituidos por las escuelas técnicas.

En 1794 los franceses habían fundado un instituto de mecánica a gran escala al establecer el Conservatorio de Artes y Oficios, institución que alcanzó la reputación de ser la «Sorbona industrial». El conde Rumford consideraba que dicha institución merecía ser imitada. El conde era un científico y militar americano que había emigrado a Inglaterra tras la guerra de la Independencia americana. Formó una «Sociedad para Fomentar la Industria y Promover el Bienestar de los Pobres», y en 1799 sometió al comité de dicha sociedad la propuesta de establecer una «Institución Pública para la difusión del conocimiento y facilitar la introducción general de inventos y adelantos mecánicos útiles, así como para enseñar mediante cursos de conferencias filosóficas y experimentos la aplicación de la ciencia a los fines comunes de la vida». Se hicieron suscripciones, y en 1800 se estableció en Londres la Institución Real de Gran Bretaña. En 1801 fue nombrado lector de química el aprendiz de farmacéutico de Cornualles, Humphry Davy, quien llevó a cabo allí sus célebres investigaciones electro-químicas. Frente a lo que ocurría con el Conservatorio de Artes y Oficios de París, la Institución Real dependía de donaciones privadas para sostenerse, y las primeras de ellas no fluían con facilidad. No obstante, Davy programó sus conferencias para agradar a mecenas ricos y llevó a cabo investigaciones para cuerpos influyentes, de manera que la Institución Real terminó autofinanciándose. Dio conferencias e hizo investigaciones sobre química agrícola entre 1802 y 1812 a petición de Arthur Young, el secretario del Consejo de Agricultura que se fundó en 1793 para hacer frente a la escasez de importación de alimentos derivada de la Revolución francesa. En 1816, Davy inventó la lámpara minera de seguridad a petición de la Sociedad para el Estudio y Prevención de Explosiones Mineras. Así cambió el carácter de la Institución Real. No era el Instituto de Mecánica que había planeado Rumford, sino un instituto de investigación profesional que ofrecía conferencias con un carácter más popular que educativo. Rumford deseaba completar su plan original, pero sus puntos de vista no fueron compartidos por los otros fundadores y, tras diversas disputas, Rumford abandonó Inglaterra y pasó el resto de sus días en Francia.

La Institución Real constituyó una notable contribución a los recursos científicos de Inglaterra; pero era pequeña, ya que sólo trabajaban en ella dos científicos y sus asistentes durante las tres primeras décadas de su existencia. Mientras tanto, la ciencia se estaba volviendo más compleja y más difícil de comprender para los intelectos sin formación, a la vez que la investigación experimental estaba empezando a requerir aparatos costosos. Asimismo, la ciencia estaba interpenetrándose cada vez más íntimamente con el proceso de avance industrial, de manera que empezó a hacerse notar la necesidad de más recursos de enseñanza e investigación en las ciencias. Los escoceses, como en otros asuntos relativos a las ciencias, fueron los primeros en llamar la atención sobre el problema. John Playfair, el profesor de filosofía natural en Edimburgo, señalaba en una recensión de la *Mecánica celeste* de Laplace, escrita en 1808, que apenas había una docena de personas de Gran Bretaña lo bastante competentes en matemáticas como para leer tan sólo la obra de Laplace. Señalaba que casi nadie en Gran Bretaña había contribuido al progreso de la teoría astronómica durante los anteriores sesenta o setenta años, estando el campo casi monopolizado por los franceses.

> Nada impedía a los matemáticos ingleses –escribía– dedicarse al problema de la teoría lunar en la que están profundamente implicados los intereses de la navegación, excepto la conciencia de que en conocimientos de geometría superior no se hallaban en pie de igualdad con sus hermanos del continente.

Las matemáticas que se enseñaban en Gran Bretaña durante los primeros años del siglo XIX no iban mucho más allá del nivel que se podía encontrar en época de Newton. Por lo que respecta al cálculo, adoptaban la notación un tanto engorrosa de Newton, siendo en gran medida desestimados el simbolismo más elegante introducido por Leibniz y los progresos realizados por los franceses. Se inició un movimiento tendente a remediar tal situación con la formación de la Sociedad Analítica, un club de estudiantes de Cambridge organizado por John Herschel, Charles Babbage y otros, con el objeto de introducir en Inglaterra las matemáticas continentales. Babbage propuso considerar al club una «sociedad para la promoción de los principios de un puro d-ismo (siendo *d* el símbolo empleado por Leibniz), frente al punteado (siendo un punto el símbolo de Newton)». Una vez que estas personas se licenciaron, desarrollaron aún más el campo. John Herschel fue uno de los primeros que criticaron el estado de la ciencia en su conjunto en Inglaterra, siendo secundado por Humphry Davy, que inició un libro sobre el tema, muriendo en 1828 antes de poder terminarlo. No obstante, sus puntos de vista, así como los de Herschel, se dieron a conocer, siendo proseguidos por Charles Babbage, que era ya profesor de matemáticas en Cambridge, en sus *Reflexiones sobre la decadencia de la ciencia en Inglaterra*, publicadas en 1830. Babbage pensaba que la raíz del problema residía en que la investigación científica inglesa era aún en gran medida una actividad de aficionados que no estaba apoyada por el Estado ni profesionalizada. «La práctica de la ciencia –escribía– no constituye en Inglaterra una profesión autónoma, como ocurre en otros países, [pues] en Inglaterra la profesión de las leyes es la que parece presentar más atractivos a las personas de talento», de manera que «mediante una aplicación equivocada y destructora del talento, cambiamos un filósofo profundo por un abogado pasable». Consideraba que la vieja tradición de los aficionados era inadecuada porque las matemáticas ahora «exigen una atención tan abrumadora que sólo las pueden practicar quienes disfrutan de un ocio ininterrumpido por otras ocupaciones». Babbage propugnaba una asociación de personas interesadas para promover la ciencia en Gran Bretaña, pidiendo al gobierno que tomase cartas en el asunto.

El libro de Babbage armó un buen revuelo, siendo bienvenido por los críticos escoceses del estado de la ciencia en Gran Bretaña. El tema se discutió en varios artículos enviados al *Edinburgh Journal of Science* en 1830. Se pedía la reforma de la universidad porque, como se indicaba, de los diecinueve británicos que eran miembros extranjeros del Instituto de Francia, ni uno de ellos siquiera ocupaba un puesto en la universidad. Se indicaba que el Ministerio del Interior francés gastaba cerca de millón y medio de francos al año para el mantenimiento de los establecimientos científicos y literarios, mientras que el gobierno británico no gastaba nada, llegando incluso a suspender algunas pequeñas pensiones a científicos que antes se concedían. Se urgía al Gobierno sobre este punto, y el editor del *Journal,* David Brewster, un científico aficionado, luego vicecanciller de la Universidad de Edimburgo, reiteró la llamada a las personas interesadas en promover la ciencia británica.

El secretario de gobernación, sir Robert Peel, se sintió un tanto embarazado por estos ataques, y en una reunión celebrada en Birmingham para erigir un monumento a James Watt negó que la ciencia decayese en Inglaterra y que el gobierno fuese indiferente a los avatares de la ciencia en el país. Se estaba disponiendo, dijo, que la Corona otorgase becas de investigación a los científicos aficionados para ayudarlos a costear sus experimentos. Ya se había dado una asignación de 300 £ al astrónomo sir James South para «que el país cargase con una parte de los enormes gastos a los que había tenido que hacer frente sir James para desarrollar sus investigaciones», y de este modo «exonerar al país de la acusación de total indiferencia por los temas científicos».

No obstante, estaba claro que tales asignaciones sólo rozaban el problema, no siendo una contribución muy significativa a la ciencia británica. Consiguientemente se dieron algunos pasos para formar una organización que uniese a los científicos de todo el país y promocionase la ciencia británica. El motor principal fue David Brewster, quien en 1831 persuadió al Consejo de la Sociedad Filosófica de Yorkshire, una de las mayores y más importantes sociedades científicas provinciales, para que convocase una reunión nacional de «Amigos de la Ciencia». La reunión celebróse en York el mes de septiembre de 1831, fundándose allí la Asociación Británica para el Avance de la Ciencia. Los objetivos de la asociación, en palabras de su primer secretario, Vernon Harcourt, un químico y canónigo de York, eran:

> Dar mayor impulso y una dirección más sistemática a la investigación científica, a fin de obtener un mayor grado de atención nacional hacia los objetivos de la ciencia y eliminar aquellas cortapisas que impiden su progreso, promoviendo el intercambio mutuo de los cultivadores de la ciencia unos con otros y con los filósofos extranjeros.

La idea de la asociación se había originado en parte en un congreso nacional de científicos alemanes, fundado por el filósofo de la naturaleza Lorenz Oken en 1822, que se reunía anualmente en diferentes ciudades de los estados de lengua alemana a fin de discutir los progresos científicos del año. Babbage había asistido a la reunión de Berlín de 1828, siendo allí donde había concebido la idea de la Asociación Británica. Otros fundadores parecen haber sido estimulados por los escritos de Francis Bacon, de quien se ofrecieron citas en la primera reunión. En su *Nueva Atlántida*, publicada en 1626, Bacon había sugerido la formación de una academia nacional para el progreso de las ciencias y las artes, cuyos miembros habían de hacer «giras por las principales ciudades del reino», tal y como hizo después la Asociación Británica. En el siglo XVII, el proyecto de Bacon había estimulado la formación de la Sociedad Real; pero esta asociación perdió gradualmente vigor y para 1831 Vernon Harcourt podía decir:

Hay que admitir, caballeros, que la Sociedad Real ya no cumple la función de promover el conocimiento natural mediante prácticas como las que ahora nos proponemos resucitar. Como cuerpo apenas trabaja, y no trata de guiar los trabajos de los demás.

Las reuniones de la Asociación Británica se celebraban anualmente en una de las ciudades principales del Reino Unido o a veces de sus dominios, asistiendo a cada reunión una media de unas doce mil personas. En esos encuentros se establecían contactos entre los miembros de las sociedades de especialistas y los miembros de las dispersas sociedades filosóficas provinciales, muchas de las cuales estaban afiliadas a la Asociación Británica, enviando delegados a sus reuniones. De esta manera se logró un considerable grado de acuerdo entre los científicos británicos por lo que respecta a muchos asuntos atinentes al avance de la ciencia, al desarrollo interno del campo y a cuestiones externas del tipo de la extensión de la educación científica y la financiación de la investigación en la ciencia. Las discusiones sobre el desarrollo interno de las ciencias sirvieron para presentar un cuadro global del estado de la ciencia en un año dado, siendo de gran importancia en el siglo XIX para suministrar el punto de partida para ulteriores investigaciones, señalando en ocasiones las líneas prometedoras de investigación. Por lo que atañe a los aspectos externos del progreso de la ciencia, la Asociación Británica fue muy activa en el movimiento por la reforma de la educación superior que se produjo a partir de mediados de siglo, pero fracasó a la hora de interesar al gobierno en la financiación de la investigación científica en una medida considerable. Fueron las exigencias de la Primera Guerra Mundial, 1914-1918, las que llamaron la atención del gobierno británico sobre esta cuestión, llevando a la fundación del Departamento de Investigación Científica e Industrial en 1917.

En una menor escala, la Asociación Británica financió ella misma la investigación, obteniendo fondos de las suscripciones de sus miembros. Tales suscripciones eran modestas y, dado que los recursos resultaban escasos, se llevaba a cabo una minuciosa selección de los temas de investigación a financiar. Hallamos que unas ciencias se veían favorecidas con becas en mucha mayor medida que otras, y puesto que la Asociación Británica era la organización más representativa de la ciencia británica en su conjunto a lo largo del siglo XIX, podemos tomar las diferentes sumas otorgadas a las diversas ciencias como un índice aproximado del interés mostrado por dichas ciencias en ese período. De las 92.000 £ gastadas por la Asociación Británica en investigación durante el primer siglo de existencia, 36.000 £ se dedicaron a la investigación de problemas de física y matemáticas, 18.000 £ a botánica y zoología, 10.000 £ a antropología, 7.500 £ a geología, 4.000 £ a química y otras tantas a ingeniería, mientras que se concedieron sumas menores a investigaciones en fisiología, psicología, economía, geografía, educación y agricultura. No es sorprendente que las ciencias físicas se llevasen la parte del león, ya que dichas ciencias prometían y suministraban las aplicaciones más importantes del siglo. Además se nutrían de la investigación científica sobre tecnología, investigación que se realizaba con la mira puesta en mejorar las máquinas existentes determinando los principios con que operaban. Así, la máquina de vapor dio lugar al nacimiento de la ciencia de la termodinámica y, a su vez, la ciencia de la electricidad produjo gran parte del equipo de la industria eléctrica. Después de la física, fueron las ciencias biológicas las que recibieron la mayor cantidad de dinero por investigación de la Asociación Británica, siendo los principales problemas investigados el descubrimiento y clasificación de las especies orgánicas y el estudio de su anatomía, fisiología y hábitos. Los intereses implicados aquí eran casi exclusivamente intelectuales, centrándose en torno a la cuestión de si las especies se habían creado o habían evolucionado en el tiempo. Durante el siglo XIX había pocas aplicaciones de la biología sistemática, obteniéndose escaso estímulo de problemas prácticos. La medicina, la agricultura y las industrias de la fermentación estimulaban otras partes de la biología, especialmente la fisiología humana, la bioquímica y la microbiología. Las dos siguientes ciencias relativamente bien atendidas por la Asociación Británica, la geología y la antropología, derivaban de intereses de ambos tipos. A mediados del XIX, la geología era una ciencia de considerable importancia, pues fue en ella donde se estableció la evolución por vez primera; pero era también de enorme utilidad práctica para la localización del carbón, minerales metálicos y otras materias brutas inorgánicas empleadas en la industria. Ya en 1835 se fundó la Inspección Geológica de Gran Bretaña por estos motivos, así como para salvaguardar los intereses del Estado en los derechos mineros. También la antropología se vio implicada en el problema de la evolución al considerarse los pueblos primitivos como estadios del desarrollo de la sociedad civilizada, correlacionándose dichos estadios con los testimonios arqueológicos del desarrollo del hombre de la Edad de la Piedra. Este enfoque se abandonó en los primeros años de este siglo, estudiándose las comunidades primitivas como «estructuras sociales» estáticas más bien que como entidades con desarrollo histórico, tornándose como ciencia auxiliar más bien la psicología que la arqueología. En su dimensión práctica, la antropología se empleaba para comprender y controlar los pueblos coloniales, especialmente a partir de los años ochenta, cuando se aceleraron las inversiones en las posesiones imperiales. La Asociación Británica estableció una sección aparte para tratar la cuestión antropológica en 1881, financiando a partir de 1886 el estudio de las tribus nativas en Egipto, la India, Australia y otras regiones. Por lo que atañe a las becas de investigación de la Asociación Británica, la química recibió relativamente poca ayuda, comparada con la física, la biología e incluso la antropología. También la agricultura fue poco atendida comparada con la ingeniería. En el momento de su fundación en 1831, la Asociación Británica organizó una sección de ingeniería, gastándose un total de 4.000 £ en investigación ingenieril en el transcurso del siglo, mientras que la sección de agricultura no se organizó hasta 1912, gastándose un total de 5 £ en el tema antes de dicha fecha. A este respecto es interesante señalar que en Gran Bretaña la agricultura y la industria química, especialmente la industria química fina, en la que es esencial la investigación continuada, eran particularmente débiles al comienzo de nuestro siglo. En aquella época, por poner un ejemplo, se importaban de Alemania nueve décimas partes de los pigmentos manufacturados, a pesar de que los pigmentos sintéticos hubiesen sido descubiertos en Inglaterra por obra de Perkin en 1856.

Finalmente, hemos de señalar que la Sociedad Real se reformó gracias a sus propios esfuerzos en la década de los treinta y los cuarenta. A lo largo del siglo XVIII, la sociedad se había convertido progresivamente en un club londinense, aumentando gradualmente la proporción de miembros no científicos, de modo que en la primera mitad del siglo XIX la sociedad contaba aproximadamente con el mismo número de científicos que de no científicos. Además, los miembros que no eran científicos poseían el control de la sociedad hasta los años veinte, cuando Humphry Davy fue nombrado presidente, asegurándose una mayoría de científicos en el Consejo de la Sociedad. Sin embargo, Davy fue sucedido por un abogado, lord Colchester, y luego por el duque de Sussex, uno de los hijos de Jorge III, no siendo hasta 1847 cuando la admisión en la sociedad se limitó en gran medida a personas que fuesen científicas. A partir de 1874, los pares no dispusieron ya de un acceso privilegiado a la Sociedad Real. A partir de 1902 se hizo otro tanto con los consejeros privados y finalmente, en 1945, se admitieron mujeres como miembros de la sociedad.

4. La química y la teoría atómica de la materia

Con la publicación en 1789 de los *Elementos de química* de Lavoisier, la ciencia de la química rompió sus últimas amarras con el pasado alquimista, asumiendo una forma moderna. Lavoisier hizo hincapié en la importancia de los métodos cuantitativos de la investigación en química y, a este respecto, introdujo el principio de la conservación de la materia, según el cual nada se perdía ni se ganaba en el transcurso de las reacciones químicas, siendo el peso de los productos igual al peso de los materiales de partida. También resucitó la idea de que los elementos químicos no eran más que sustancias que no se podían descomponer en algo más simple por medios químicos –los elementos, decía, eran «los términos a los que de hecho ha llevado el análisis químico»–, estableciendo a continuación una lista de unos veintitrés elementos auténticos conocidos por él.

El nuevo punto de vista de Lavoisier condujo a la elaboración de diversas leyes empíricas en la ciencia química. La primera de ellas fue la ley de las proporciones equivalentes, formulada en 1791 por Jeremiah Richter, 1762-1807, un químico de las minas de Breslau y de la factoría de porcelana de Berlín. Richter era un discípulo del filósofo Immanuel Kant y, con su maestro, pensaba que las ciencias físicas eran todas ellas ramas de las matemáticas aplicadas. Con este principio en mente, descubrió que el peso de una sustancia *A* que se combinaba con una cantidad conocida de una sustancia *B* se habría de combinar también exactamente con ese peso de una sustancia *C* que entraba en combinación con la misma cantidad conocida de la sustancia *B*. Tras este descubrimiento, se confeccionaron tablas de pesos equivalentes que mostraban la cantidad relativa de elementos químicos que se habrían de combinar entre sí.

El francés Proust, 1755-1826, profesor de química en Madrid, propuso en 1797 una segunda ley, la de las composiciones constantes. Halló que se hiciese como se hiciese un compuesto, la proporción de los pesos de los elementos que contenía era siempre la misma, siendo esa proporción la de los pesos equivalentes de los elementos. La validez de esta ley fue objeto de una disputa de unos cuantos años con Berthollet, 1748-1822, profesor de química en la Escuela Politécnica, quien era de la opinión de que la composición de los compuestos químicos era infinitamente variable y no fija. Berthollet se hallaba más interesado en los procesos de cambio químico que en los productos de dicho cambio y, al investigar el tema de sus intereses, anticipó algunos de los descubrimientos realizados por los físicos químicos durante los años sesenta. Señaló que algunas reacciones químicas eran reversibles, mientras que en otras reacciones el resultado de los productos dependía de las cantidades iniciales de los reactantes empleados, así como de las solubilidades o volatilidades relativas de los reactantes y productos. De esos casos, Berthollet concluía que la composición de un compuesto variaba gradualmente en el transcurso de una reacción. Sin embargo, Proust consiguió mostrar que lo que variaba en el transcurso de la reacción era la cantidad del compuesto y no su composición y que además los compuestos de composición indefinida de Berthollet eran en realidad mezclas. De hecho Proust fue el primero que distinguió claramente entre mezclas y compuestos, siendo separables los componentes de las primeras por medios físicos, mientras que los de los últimos sólo lo eran por medios químicos.

Dichas leyes permitieron a los químicos caracterizar nuevos compuestos y nuevos elementos, conduciendo asimismo a la teoría atómica, que suministraba una explicación de por qué se cumplían esas leyes de la naturaleza. Desde la época de Demócrito, la teoría atómica constituía una especulación filosófica común. La teoría no había gozado de gran popularidad a finales de la Antigüedad y durante la Edad Media, pero se reavivó durante el Renacimiento, incorporándose a la doctrina mecánica newtoniana del mundo físico. Sin embargo, antes del siglo XIX no se realizaron muchas aplicaciones positivas de la teoría atómica. Newton había explicado la ley de Boyle, que afirma que el volumen de un gas varía inversamente a su presión, suponiendo que los átomos del gas eran más o menos estacionarios, repeliéndose mutuamente con una fuerza que variaba inversamente con la distancia. El matemático suizo Daniel Bernoulli suministró en 1738 la explicación moderna de esa misma ley suponiendo que los átomos del gas se hallaban en movimiento aleatorio, no siendo la presión del gas más que el impacto de los átomos sobre las paredes del recipiente que lo contenía. Sin embargo, la teoría atómica no se aplicó a la química antes del siglo XIX, ya que se pensaba en general que todas las sustancias con que operaban los químicos se componían de átomos que eran en gran medida iguales en todos los respectos, un punto de vista que no podía explicar el carácter altamente específico de los procesos químicos, tal y como Boyle había observado en el siglo XVII.

La teoría atómica se modificó para atender a las necesidades de la química gracias a los trabajos del científico cuáquero John Dalton, 1766-1844, que hizo un primer esbozo de su teoría en un escrito leído ante la Sociedad Literaria y Filosófica de Manchester en 1803, y la explicó plenamente en su *Nuevo sistema de filosofía química,* publicado en 1808. Dalton partió de la concepción newtoniana según la cual los gases estaban compuestos por átomos que se repelían entre sí con una fuerza que caía con la distancia. Dalton y otros pensaban que esta fuerza repulsiva era el calor, o calórico, como se denominaba, ya que en 1801 había hallado que la presión de un gas aumentaba directamente con la temperatura cuando se calentaba. Gay-Lussac, 1778-1850, observó en Francia el mismo fenómeno en 1802, descubriendo más tarde que él y Dalton habían sido anticipados en 1787 por el francés Charles, con cuyo nombre se conoce hoy día la ley de la expansión de los gases con la temperatura. Dalton estaba muy interesado en problemas meteorológicos, especialmente en el problema de la naturaleza de la atmósfera que a principios del XIX se sabía compuesta de diversos constituyentes, especialmente oxígeno, nitrógeno y vapor de agua. La atmósfera era homogénea, pero a Dalton le daba la impresión de que, si los átomos de los gases se repelían entre sí, los diversos constituyentes del aire habrían de separarse. Para superar esta dificultad, Dalton sugirió que los átomos de diversas sustancias químicas no eran idénticos, sino que formaban diversas especies, de manera que los átomos de una sustancia química se repelen entre sí pero no a los átomos de otra sustancia. Así, escribió en 1802:

> Cuando dos fluidos elásticos denotados por *A* y *B* se mezclan, no hay repulsión mutua entre sus partículas; las partículas de *A* no repelen a las de *B* como hacen entre sí. Consiguientemente, la presión o peso total sobre cualquiera de las partículas se debe exclusivamente a las de su propia especie.

De este modo, Dalton llegó a su ley de las presiones parciales, según la cual la presión total de una mezcla de gases es la suma de las presiones de cada uno de los gases separadamente considerados. En otras palabras, los diferentes gases de una mezcla no tienen efectos los unos sobre los otros. Como decía el amigo de Dalton, Henry, «cada gas es un vacío para los demás gases».

La importancia que para los químicos tenía la doctrina de Dalton reside en que ahora se veía que existían diferentes especies de átomos, siendo similares los átomos de un elemento, con sus propias características específicas, mientras que los de los diversos elementos diferían en tamaño, peso y número por unidad de volumen, de modo que cuando dos elementos se combinaban para formar un compuesto, cada átomo del primer elemento se unía con uno o con un pequeño número entero de átomos del segundo elemento. Estableció este último postulado porque descubrió que cuando se unían dos elementos para formar más de un compuesto, los pesos del elemento *A* que se combinan con cantidades fijas del elemento *B* mantenían siempre una razón numérica simple los unos con los otros. En el caso de los óxidos del nitrógeno que Dalton investigó personalmente, halló que las cantidades de oxígeno que se combinaban con una cantidad dada de nitrógeno se hallaban en la proporción de 1 : 2 : 3. Ésta es la ley de Dalton de las proporciones múltiples, publicada en 1804 y que confirió plausibilidad a la teoría atómica. También indicaba que el átomo de un elemento no siempre se combinaba con un solo átomo de otro, sino que en ocasiones se combinaba con dos, tres, cuatro, etc.

Dalton señalaba que una propiedad importante que caracteriza a los átomos de diferentes elementos son sus pesos relativos, elaborando él mismo en 1803 la primera tabla de dichos pesos relativos al hidrógeno. Los pesos equivalentes de los elementos, los pesos que se combinan juntos para suministrar compuestos definidos, podrían determinarse por medición directa, y a partir de dichas determinaciones se podrían derivar los pesos atómicos de los ele-

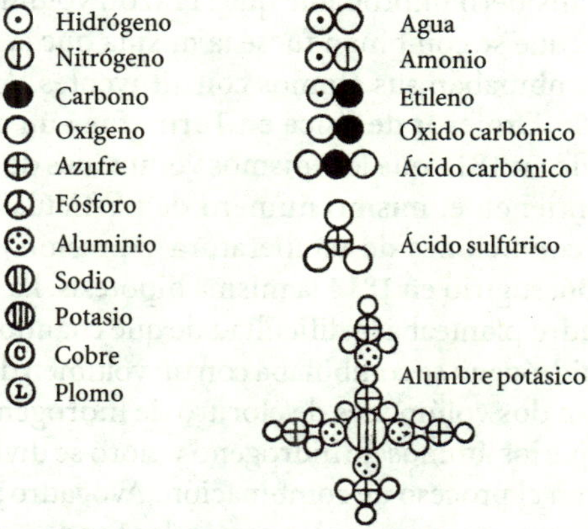

Símbolos y fórmulas del Nuevo sistema de filosofía química *de Dalton.*

mentos conociendo en los casos pertinentes cuántos átomos de un elemento se combinan con un solo átomo de otro. En la época no había modo de estimar esos números de combinación de los átomos, por lo que Dalton supuso que «cuando sólo se puede obtener una combinación de dos cuerpos, ha de suponerse que es binaria, a menos que haya algunas causas en contra». Esto es, se ha de suponer que tales compuestos contienen un átomo de cada elemento, suposición que más tarde demostraría ser insostenible.

En 1808 Gay-Lussac realizó un descubrimiento que dio una indicación acerca de los números de átomos combinados. Descubrió que cuando dos gases se combinan, los volúmenes de los gases que se unen mantienen una razón numérica simple entre sí, así como con los volúmenes de los productos, siempre y cuando sean también gases. Dalton sostenía que los números de átomos de dos elementos que se combinan mantienen una razón numérica simple, por lo que no consideró improbable que la razón volumétrica de dos gases que se combinan fuese la misma que la razón en que se combinaban sus átomos constituyentes. Avogadro, 1776-1856, profesor de física en Turín, fue aún más lejos sugiriendo en 1811 que los mismos volúmenes de distintos gases contienen el mismo número de partículas bajo las mismas condiciones de temperatura y presión. Ampère, 1775-1836, sugirió en 1814 la misma hipótesis. La hipótesis de Avogadro planteaba la dificultad de que cuando un volumen de hidrógeno se combinaba con un volumen de cloro se producían dos volúmenes de cloruro de hidrógeno, lo que sugería que los átomos de hidrógeno y cloro se dividían por la mitad en el proceso de combinación. Avogadro superó la dificultad suponiendo que las partículas fundamentales de hidrógeno y cloro, y de otros gases, eran moléculas que contenían dos átomos del elemento, y que la combinación química entre dos gases producía la división de las moléculas elementales y la formación de moléculas compuestas en las que había un átomo de cada elemento, como hidrógeno y cloro en el cloruro de hidrógeno.

La hipótesis de Avogadro podría haber suministrado un método general para determinar los números de combinación de los átomos elementales, pero no se aceptó con generalidad hasta la década de los sesenta, ya que exigía que los átomos del mismo elemento se combinasen para formar moléculas. Dalton y otros rechazaron dicha concepción, pues sostenían que los átomos semejantes debían repelerse mutuamente y no podían combinarse. Además, el propio Dalton pensaba que las diversas especies de átomos diferían no sólo en sus pesos atómicos, sino también en tamaño y en el número por unidad de volumen en estado gaseoso. La ley de Gay-Lussac de los volúmenes de combinación implicaba que había el mismo número de partículas en el mismo volumen de diferentes gases, mientras que en un principio Dalton ponía dicha ley en tela de juicio. Las pruebas experimentales lo obligaron a aceptar la ley, aunque negó hasta el final la validez de la hipótesis de Avogadro.

Aún pervivía la vieja teoría atómica según la cual las partículas fundamentales de la naturaleza eran uniformes y todas iguales, siendo incluso combinada con la nueva teoría a través del postulado de que los diversos átomos de diferentes elementos químicos se componían todos ellos de la misma materia primordial. Humphry Davy, 1778-1829, de la Institución Real, Londres, hablaba de

> esa idea sublime de los antiguos filósofos que ha sido sancionada con la aprobación de Newton [...] a saber, que hay solamente una especie de materia, cuyas diferentes formas químicas no menos que mecánicas se deben a la diversa disposición de sus partículas.

Los pesos atómicos de un cierto número de elementos se aproximaban a números enteros, relativos al hidrógeno tomado como unidad, por lo que un médico londinense, William Prout, 1785-1850, sugirió en 1815 que los átomos de los otros elementos se componían de un número discreto de átomos de hidrógeno. Thomas Thomson, 1773-1852, profesor de química en Glasgow, estaba tan convencido de la hipótesis de Prout que redondeó los pesos atómicos que había determinado para que fuesen números enteros. No obstante, las investigaciones del sueco Jakob Berzelius, 1779-1848, y del belga Jean Stas, 1813-1891, mostraron que los pesos atómicos de los elementos no eran múltiplos exactos del peso de un átomo de hidrógeno, aunque se aproximaban mucho a números enteros.

A partir aproximadamente de 1820 y hasta 1860, la teoría atómica no desempeñó una función predominante en la química. En su mayoría, los químicos preferían usar los pesos equivalentes directamente determinados de los elementos en lugar de los pesos atómicos que entrañaban inseguras estimaciones relativas a los números de combinación de

Tablas de pesos atómicos de Berzelius

1	2	3	4	5	6	7	8
Elemento	1814		1818		1826		
O		16		16		16·03	
S	SO^2, SO^3	32·16	SO^2, SO^3	32·19	SO^2, SO^3	32·24	SO_2, SO_3
P	P^2O^3, P^2O^5	26·80	PO^3, PO^5	62·77	P^2O^3, P^2O^5	31·43	P_2O_3, P_2O_5
Cl		(35·16)		(35·41)	Cl^2O^5	35·47	
C	CO, CO^2	11·986	CO, CO^2	12·05	CO, CO^2	12·25	CO, CO_2
N		(14·36)		(14·05)	N^2O, NO	14·19	N_2O, NO
H	H^2O	1·062	H^2O	0·9948	H^2O	1	H_2O
As	AsO^3, AsO^5	134·38	AsO^3, AsO^5	150·52	As^2O^3, As^2O^5	75·33	As_2O_3, As_2O_5
Cr	CrO^3, CrO^6	113·29	CrO^3, CrO^6	112·58	Cr^2O^3, CrO^3	56·38	Cr_2O_3, CrO_3
Si	SiO^3	48·696	SiO^3	47·43	SiO^3	44·44	SiO_2
Hg	HgO, HgO^2	405·06	HgO, HgO^2	405·06	Hg^2O, HgO	202·86	Hg_2O, HgO
Ag	AgO^2	430·107	AgO^2	432·51	AgO	216·6	Ag_2O
Cu	CuO, CuO^2	129·03	CuO, CuO^2	126·62	Cu^2O, CuO	63·42	Cu_2O, CuO
Bi	BiO^2	283·84	BiO^2	283·81	Bi^2O^3	213·22	Bi_2O_3
Pb	PbO^2, PbO^3	415·58	PbO^2, PbO^3	414·24	PbO, Pb^2O^3	207·46	PbO, Pb_2O_3
Sn	SnO^2, SnO^4	235·29	SnO^2, SnO^4	235·3	SnO, SnO^2	117·84	SnO, SnO_2
Fe	FeO^2, FeO^3	110·98	FeO^2, FeO^3	108·55	FeO, Fe^2O^3	54·36	FeO, Fe_2O_3
Zn	ZnO^2	129·03	ZnO^2	129·03	ZnO	64·62	ZnO
Mn	MnO^2, MnO^3	113·85	MnO^2, MnO^3	113·85	MnO, Mn^2O^3	55·43	MnO, Mn_2O_3
Al	AlO^3	54·88	AlO^3	54·77	Al^2O^3	27·43	Al_2O_3
Mg	MgO^2	50·47	MgO^2	50·68	MgO	25·38	MgO
Ca	CaO^2	81·63	CaO^2	81·93	CaO	41·03	CaO
Na	NaO^2	92·69	NaO^2	93·09	NaO	46·62	Na_2O
K	KO^2	156·48	KO^2	156·77	KO	78·51	K_2O

Tabla de pesos atómicos de Berzelius según Partington. Las columnas 2, 4 y 6 ofrecen las fórmulas de los óxidos supuestas por Berzelius, presentando la 8 las modernas. Las columnas 3 y 5 ofrecen los pesos atómicos calculados de nuevo a partir de los valores de Berzelius (oxígeno = 100) con oxígeno = 16. La columna 7 ofrece los valores de Berzelius con su escala alternativa de hidrógeno = 1.

los átomos. El rechazo de la hipótesis de Avogadro dejó a los químicos sin un método general de computar los números de combinación de los átomos elementales, aunque se desarrollaron algunos métodos específicos que empleaban los químicos aún interesados en la determinación de los pesos atómicos, especialmente Berzelius y Stas. Tales métodos eran muy efectivos, siendo la tabla de pesos atómicos construida por Berzelius en la década de los treinta similar a la utilizada hoy día, dejando aparte los casos de la plata y los metales alcalinos. A partir de su ley de los volúmenes de combinación, Gay-Lussac sugería que en el caso de los elementos gaseosos, aunque no en el de sus compuestos, los volúmenes idénticos deberían contener el mismo número de átomos. Berzelius aceptó el principio de Gay-Lussac, y sirviéndose de él logró asignar las modernas fórmulas a un cierto número de compuestos. Sostenía que una molécula de agua contenía dos átomos de hidrógeno y uno de oxígeno, dado que dos volúmenes de hidrógeno reaccionaban con uno de oxígeno para producir agua. Por otro lado, Dalton pensaba que una molécula de agua contenía un átomo de hidrógeno y uno de oxígeno, operando con la regla de que todos los compuestos debían de considerarse binarios a menos que existiese una buena razón en contra.

En 1819, uno de los discípulos de Berzelius, Mitscherlich, 1794-1863, constató que los compuestos con fórmulas químicas similares poseían la misma forma de cristalización. Se trata de la ley de isomorfismo, con la que Berzelius consiguió determinar las fórmulas de muchas sales y los pesos atómicos de sus elementos constituyentes, si bien más tarde Mitscherlich mostró que dicha ley poseía muchas excepciones. Ese mismo año, Dulong, 1785-1838, y Petit, 1791-1820, de París, hallaron que, en el caso de unos cuantos metales, el producto de su peso atómico y su calor específico, la cantidad de calor requerida para elevar un grado la temperatura de una unidad de peso del metal, era constante. La regla de

Dulong y Petit permitió determinar valores aproximados de los pesos atómicos de los metales a determinar, pero Berzelius no la utilizó aduciendo que no era universalmente válida. El rechazo de la regla de Dulong y Petit es la causa de que los pesos atómicos que Berzelius asignó a la plata y a los metales alcalinos no fuesen los modernos, dado que pensaba que el número de combinación de sus átomos era dos y no uno como hoy día se considera. Berzelius, al igual que Gay-Lussac y Dalton, rechazó la hipótesis de Avogadro que habría suministrado la norma universal que buscaba, ya que consideraba que los átomos iguales se repelían mutuamente, por lo que no podían combinarse para formar moléculas. Dalton había estimado que cada átomo se veía rodeado por una atmósfera de calor que repelía a los átomos iguales, aunque no interfería con los distintos. Berzelius sostenía una teoría eléctrica similar, aunque más desarrollada, acerca de la atracción atómica, dado que mientras tanto se había desarrollado la nueva rama de la electroquímica, suministrando otra teoría de la afinidad química.

A lo largo del siglo XVIII había despertado gran interés el estudio de los efectos de la electricidad sobre las criaturas vivas, especialmente el choque eléctrico, ocurriendo otro tanto con los fenómenos eléctricos exhibidos por los organismos, como el aguijón del pez torpedo. Trabajando sobre estos temas, Galvani, 1737-1798, profesor de anatomía en Bolonia, se dio cuenta en la década de los ochenta de que las preparaciones de músculo y nervio de una pata de rana se contraían cuando se ponían en contacto con dos metales desiguales. Pensó que se trataba de un fenómeno biológico de carácter eléctrico, produciendo electricidad la pata de la rana al modo del pez torpedo. Su contemporáneo, Volta, 1745-1827, profesor de física en Pavia, sugirió que podría tratarse de un fenómeno físico de carácter eléctrico, limitándose la pata de la rana a ser un detector sensible de la electricidad producida por la unión de dos metales distintos. Volta experimentó con varios pares de metales distintos y halló que algunas combinaciones eran más efectivas que otras, lo que apoyaba su idea. Descubrió que con una serie de uniones de metales podía producir efectos eléctricos comparables a los mostrados por la máquina eléctrica de fricción, especialmente si las uniones alternas se humedecían con ácido. Finalmente, en 1799, Volta descubrió que dos metales distintos inmersos en ácido suministraban una considerable corriente eléctrica cuando se conectaban mediante un circuito externo. Así descubrió la pila voltaica, en la que se producía electricidad por la acción química de un metal disolviéndose en un ácido.

A la inversa, parecía que la electricidad, ahora fácilmente accesible con la pila voltaica, podía producir una acción química. En 1800, los ingleses Nicholson y Carlisle hicieron pasar electricidad a través de agua mediante dos cables inmersos en ella, hallando que el agua se descomponía en sus elementos, hidrógeno y oxígeno. Al año siguiente, Humphry Davy, recientemente nombrado lector de química en la Institución Real, inició una serie de investigaciones sobre otras electrólisis similares de soluciones salinas y compuestos sólidos. En 1807 sometió a electrólisis los álcalis cáusticos, obteniendo los metales alcalinos sodio y potasio. Más tarde obtuvo los metales alcalino-térreos, calcio, estroncio y bario, todos los cuales constituían elementos nuevos. Estas y otras investigaciones llevaron a Davy a la teoría de que la atracción química entre los elementos, responsable de la formación de compuestos, era esencialmente de carácter eléctrico, punto de vista desarrollado por Berzelius en Suecia a partir de 1811. Dicho sea de paso, los románticos filósofos de la naturaleza alemanes habían desarrollado la misma idea de modo especulativo a partir de la consideración de que los compuestos químicos tenían que ser una unidad de entidades opuestas, siendo dichas entidades cuerpos positiva y negativamente cargados eléctricamente. El amigo de Davy, Coleridge, 1772-1834, viajó por Alemania en 1798-1799, trayendo consigo las enseñanzas de Schelling, sobre las que dio conferencias en la Institución Real. El propio Davy era una especie de romántico que escribía una poesía que estuvo relativamente de moda en la época.

No obstante, fueron las investigaciones experimentales de Davy y Berzelius las que establecieron por un tiempo la teoría eléctrica de la afinidad química. Berzelius se dio cuenta de que en la descomposición de compuestos químicos un conjunto de elementos y grupos químicos –especialmente el hidrógeno, los metales y los álcalis– iban al polo negativo del circuito eléctrico, mientras que otro grupo, el oxígeno, los no metales y los ácidos, iban al polo positivo. Denominó al primer conjunto «elementos o grupos electropositivos», suponiendo que se hallaban cargados positivamente, siendo así atraídos hacia el polo negativo de la batería electrolítica, mientras que el segundo conjunto recibió el nombre de «electronegativo», ya que suponía que sus componentes se hallaban cargados negativamente. Berzelius sostenía que la combinación química se debía a la mutua atracción eléctrica de un elemento electronegativo y uno electropositivo, produciendo la unión una neutralización parcial de las cargas opuestas. La carga restante permitía al grupo formar un compuesto más complejo, aunque menos trabado, con un grupo similar de carga opuesta, hallándose el compuesto complejo más cerca de la neutralidad que sus grupos componentes. Desde esta perspectiva, denominada «teoría dualista» porque suponía que había dos tipos fundamentalmente distintos de elementos y grupos, la hipótesis de Avogadro resultaba inadmisible, ya que los átomos del mismo elemento habrían de poseer cargas idénticas, con lo que se repelerían mutuamente, de modo que no podrían formar moléculas binarias a la manera supuesta por Avogadro.

La teoría dualista no resultaba inapropiada en el mundo de la química inorgánica, ya que los compuestos minerales conocidos entonces eran compuestos iónicos bastante simples que podían tomarse como unidades de elementos o grupos opuestamente cargados. La química inorgánica se desarrolló rápidamente en el período que va de 1790 a 1830, la «edad heroica» de la geología, ya que los geólogos descubrían numerosos minerales que los químicos tenían que analizar. En la década de 1810-1820, el propio Berzelius describió la preparación, purificación y análisis de más de doscientos compuestos inorgánicos. En la esfera de la química orgánica la situación era un tanto distinta. Los compuestos minerales se podían caracterizar por las cantidades relativas de los elementos que se combinaban en ellos, mientras que los compuestos orgánicos se consideraron desde el principio como complejas disposiciones de unos pocos elementos, sobre todo carbono, hidrógeno, oxígeno y nitrógeno, de manera que el análisis cuantitativo no avanzaba demasiado en el camino de la caracterización de tales compuestos. Además había compuestos, los llamados «isómeros», que presentaban exactamente las mismas composiciones de elementos, aunque ofrecían propiedades muy distintas, pareciendo depender sus características de la disposición antes que de los números de átomos elementales contenidos en ellos. Tal problema había sido previsto por el químico inglés Wollaston, 1766-1828, al comienzo de la teoría atómica en 1808, mas no llamó demasiado la atención hasta el surgimiento de la química orgánica en los años de la década del 1830.

El desarrollo de la química orgánica coincidió con la aparición de la química en Alemania, siendo dos alemanes, Friedrich Wohler, 1800-1882, y Justus von Liebig, 1803-1873, quienes realizaron algunos de los primeros descubrimientos importantes en el campo. Durante las primeras décadas del siglo XIX, los químicos continentales de cabecera eran Berzelius y Gay-Lussac. Liebig fue a París para estudiar con Gay-Lussac en la Escuela Politécnica, mientras que Wohler fue a

Estocolmo para estudiar con Berzelius. Tanto Liebig como Wohler estaban versados en la química mineralógica de su tiempo, aunque investigaban problemas que rozaban el campo de la química orgánica. En 1824 Liebig preparó un compuesto, el fulminato de plata, que era idéntico en composición a un compuesto preparado por Wohler, el cianato de plata, aunque presentaba propiedades marcadamente distintas. Se descubrió que dicho fenómeno era común en la química orgánica, con lo que Berzelius acuñó el término «isomería» en 1830 para describir un caso similar que había descubierto: los tartratos y racematos.

En 1828 Wohler descubrió otro caso de isomería. Preparó un compuesto que se consideraba esencialmente inorgánico, el cianato de amoníaco, y descubrió que al calentarlo se reorganizaba en forma de una solución acuosa para producir un compuesto orgánico bien conocido, la urea. Hasta entonces los compuestos orgánicos se habían obtenido exclusivamente de los organismos vivos, mas ahora se veía que se podían preparar a partir de materiales inorgánicos, un descubrimiento que debilitó la opinión común de que los compuestos orgánicos sólo se producían mediante las fuerzas vitales de la materia viva. Todavía en 1819, Berzelius había considerado que los compuestos orgánicos no obedecían la ley de las proporciones constantes, no perteneciendo propiamente a la química, dado que eran productos de las fuerzas vitales. Ahora la química orgánica y la inorgánica se aproximaron considerablemente, realizándose intentos de extender la teoría dualista de la combinación química al mundo orgánico. En 1832, Liebig y Wohler mostraron que había toda una serie de compuestos orgánicos, preparados a partir de aceite de almendras amargas, que contenían un grupo orgánico común y diversos grupos inorgánicos, una serie formalmente similar al conjunto de sales inorgánicas formadas por un único ácido con una diversidad de bases. No obstante, parecía que el grupo orgánico o radical se podía combinar igualmente con el electropositivo hidrógeno o con el electronegativo oxígeno. Además, Dumas, 1800-1884, de la Escuela Politécnica, halló en 1834 que dentro de los propios radicales orgánicos el hidrógeno electropositivo podría sustituirse por el electronegativo cloro sin cambiar fundamentalmente las propiedades químicas del radical o de sus compuestos.

Cuanto más se adentraba la teoría dualista en la química orgánica, más compleja y caótica se volvía la situación. Wohler escribía a su maestro Berzelius en 1835:

> En este preciso momento la química orgánica es capaz de volverlo a uno loco. Me da la impresión de una selva tropical primitiva llena de las cosas más asombrosas, un matorral monstruoso y sin límites en el que da miedo entrar.

El propio Wohler abandonó el estudio de la química orgánica para volver al análisis de los minerales que había aprendido en Estocolmo. No obstante, Liebig se dedicó a la química orgánica y formó a la siguiente generación de químicos, que iba a contribuir a resolver los problemas del campo en cuestión; personas como Bunsen, Hofmann, Kekule y Wurtz, dejando Hofmann el estudio del derecho y abandonando Kekule la arquitectura a fin de estudiar química. También Liebig rechazó la teoría dualista de Berzelius y aceptó la teoría rival de los tipos estructurales propuesta por Dumas en 1840 y desarrollada por Gerhardt, 1816-1856, y Laurent, 1808-1853, que dirigía un pequeño laboratorio químico en París con fines didácticos. Dumas sugirió que las propiedades químicas de los compuestos orgánicos se debían a su peculiar disposición o tipo estructural, y no al carácter eléctrico de los elementos que los componían. Sostenía que todos los compuestos del mismo tipo estructural deberían mostrar las mismas propiedades: un elemento podría verse sustituido por otro, mas, en tanto en cuanto la disposición estructural mantuviese su integridad, las propiedades del compuesto no se alterarían notablemente. Dumas halló que tres cuartas partes del hidrógeno del ácido acético podrían sustituirse por un elemento muy distinto, el cloro, y a pesar de todo el compuesto resultante mantenía las propiedades cualitativas del ácido acético. Wohler, quien aún sostenía el dualismo de su maestro, ridiculizaba la teoría sugiriendo que habría de ser posible sustituir todos los átomos del ácido acético, el carbono y el oxígeno, además del hidrógeno, con cloro, de modo que todo él fuese cloro, manteniendo aun así las propiedades específicas del ácido acético.

La teoría de los tipos fue generalmente aceptada por los químicos orgánicos, mientras que la teoría dualista fue aceptada por aquellos químicos mineralógicos que seguían ocupándose del progreso de las teorías químicas. Hablando en general, los químicos del segundo cuarto del siglo XIX eran más bien poco teóricos, especialmente en la química orgánica. Incluso Dumas utilizaba el concepto de equivalentes, directamente medibles, más bien que la idea de átomo, a la hora de desarrollar su teoría de los tipos. En 1840 escribió que los compuestos que tienen el mismo tipo estructural son «sustancias que contienen el mismo tipo de equivalentes unidos de la misma manera, presentando las mismas propiedades químicas fundamentales». Mas la teoría de los tipos estimuló de nuevo el desarrollo de la teoría química, ya que para descubrir la estructura de la molécula química era necesario conocer los números de combinación de sus átomos constituyentes. Así, el problema de determinar cuántos átomos de un elemento podrían combinarse con un solo átomo de otro, problema que se había abandonado a principios de siglo, ocupó de nuevo el primer plano. Con él llegó el resurgimiento de la teoría atómica, que mientras tanto se había retirado a segundo plano en la teoría química.

El problema de estimar los números de combinación de los átomos o las valencias, como se llamaban, lo investigaron los discípulos de Liebig, primero Edward Frankland, 1825-1899, que en 1851 fue nombrado profesor de química en el recientemente fundado Owen's College de Manchester, y luego August Kekule, 1829-1896, que ocupó diversos puestos en Heidelberg, Ghent y finalmente Bonn. Frankland investigó los compuestos orgánicos de los elementos metálicos y metaloides, descubriendo en 1852 que cada átomo de metal sólo se podía combinar con un número muy definido de grupos orgánicos, número que denominó la atomicidad o valencia del elemento. Notó que los elementos encajaban en grupos con la misma valencia: antimonio, arsénico, fósforo y nitrógeno, por ejemplo, mostrando en general el número de combinación de tres a cinco. El elemento más importante en los compuestos orgánicos era el carbono, y a partir de 1857, Kekule sugirió que los átomos de carbono podían combinarse cada uno de ellos con otros cuatro átomos o cuatro grupos de átomos. Basándose en ello, Kekule diseñó modelos estructurales para interpretar las reacciones de dichos compuestos. Sin embargo, esas ideas de valencia y estructura estaban mal definidas, pues aún no existía un criterio general para determinar el número de combinación de un átomo. Al hablar de este período, escribía Kekule en 1861:

> Aparte de las leyes de las proporciones fijas y múltiples en peso, y también en volumen en los cuerpos gaseosos, la química aún no había descubierto leyes exactas [...] y todas las llamadas concepciones teóricas eran meros puntos de vista probables o convenientes.

Entretanto la química orgánica se estaba desarrollando con rapidez, por lo que este dominio exigía cada vez más alguna teoría acerca de la estructura molecular, por lo que se tornó urgente resolver el problema de determinar las valencias de los elementos. Los químicos alemanes, especialmente Kekule, convocaron un congreso de químicos en 1860, en Karlsruhe, en un intento de resolver el problema. Al congreso acudieron unos ciento cuarenta químicos. De Francia vinieron Dumas y Wurtz; de Inglaterra, Frankland y Roscoe; los alemanes acudieron en masa: Liebig, Wohler y los más importantes de sus discípulos, Kolbe, Bunsen y Kekule, mientras que de Rusia vino Mendeleev y Cannizzaro de Italia. Cannizzaro, 1826-1910, lleno del nacionalismo de la época, proclamó que su paisano Avogadro había resuelto el problema de determinar la valencia y el peso atómico cerca de medio siglo antes. Los químicos allí reunidos no se sintieron convencidos y el problema quedó sin resolver al finalizar el congreso. Sin embargo, Cannizzaro repartió ejemplares de un panfleto que explicaba sus ideas y que los delegados se llevaron consigo. Mostró que, según la hipótesis de Avogadro, el peso molecular de un compuesto era el doble de su densidad de vapor media relativamente al hidrógeno tomado como unidad, ya que la molécula de hidrógeno contenía dos átomos y el mismo volumen de diferentes gases o vapores tenían el mismo número de moléculas. Las densidades de vapor eran fácilmente computables, de manera que se podían determinar los pesos atómicos de un cierto numero de compuestos que contenían los mismos elementos. Cannizzaro argüía que el peso atómico de un elemento particular sería pues el peso inferior de dicho elemento en una serie de sus compuestos, así como la diferencia común inferior entre sus pesos en la serie.

El panfleto de Cannizzaro y los trabajos que lo siguieron pronto convencieron a los químicos de que la hipótesis de Avogadro era válida con generalidad. Inicialmente se consideraba que había excepciones a la hipótesis, del mismo modo que las tenían la regla de Dulong y Petit sobre calores específicos y la ley de Mitscherlich sobre el isomorfismo, pero se descubrió que las anomalías se debían a la ruptura de los compuestos implicados en el estado de vapor. La hipótesis de Avogadro suministró los pesos atómicos definitivos de los elementos, y de tales determinaciones se derivaban fácilmente los números de combinación de los elementos, sirviéndose para ello de la relación que hacía igual el peso atómico al producto de su valencia y peso equivalente. Una vez establecidos los valores de las valencias de los elementos, se construyeron modelos estructurales de sus compuestos. Las reacciones de dichos compuestos suministraban pruebas de la validez de dichas estructuras, mientras que éstas a su vez indicaban nuevas reacciones posibles. Con su formación como arquitecto, Kekule tenía gran facilidad para ingeniar las posibles estructuras moleculares de los compuestos, sugiriendo en 1865 la fórmula en forma de anillo hexagonal para el caso difícil del benzeno, que se sabía compuesto por seis átomos de carbono y seis de hidrógeno. El detalle final de la teoría clásica de la estructura molecular llegó en 1874, cuando Le Bel, 1847-1930, y Van't Hoff, 1852-1911, sugirieron simultáneamente que las cuatro valencias del carbono se dirigían en el espacio hacia los vértices de un tetraedro regular, a fin de explicar las dos formas isómeras del ácido tartárico aislado por Pasteur, 1822-1895, en 1848, así como otros casos de isomería óptica descubiertos más tarde. Las dos formas de esos isómeros eran idénticas en propiedades químicas, pero diferían en que una forma giraba a la derecha el plano de polarización de un haz de luz polarizada, mientras que la otra lo hacía hacia la izquierda. Le Bel y Van't Hoff señalaron que en todos estos casos había cuatro grupos diferentes ligados a un átomo de carbono central, siendo posibles dos disposiciones distintas de dichos grupos si las cuatro valencias del átomo de carbono se orientasen tetraédricamente, dando así cuenta de la isomería.

La aceptación de la hipótesis de Avogadro, seguida del establecimiento de las valencias y pesos atómicos definitivos, ejerció su influencia tanto sobre la química orgánica como sobre la inorgánica. Parecía que los elementos con la misma valencia encajaban en grupos o familias naturales, un hecho que llamó la atención a la hora de tenerlo en cuenta para la clasificación de los elementos. Se sabía desde hacía tiempo que algunos de los elementos se relacionaban entre sí, formando grupos familiares. Johann Dobereiner, 1780-1849, profesor de química en Jena, mostró en 1817 que los pesos atómicos del calcio, estroncio y bario encajaban aproximadamente en una serie aritmética, y cuando Balard, 1802-1876, de la Sorbona, descubrió en 1826 el bromo, predijo a partir de las propiedades de los elementos que el cloro, el bromo y el yodo habrían de formar otra serie aritmética, mostrando Berzelius que ello era aproximadamente cierto. Durante los años treinta y cuarenta, cuando la teoría atómica se hallaba eclipsada, tales clasificaciones de los elementos según sus pesos atómicos no atrajeron mucha atención, si bien Dumas trató de agrupar los elementos en familias naturales según sus propiedades y reacciones, colocando el boro, carbono y silicio en un grupo y el nitrógeno, fósforo y arsénico en otro.

Una vez que se fijaron finalmente los pesos atómicos y las valencias de los elementos en los años sesenta, se llevaron a cabo diversos intentos nuevos de clasificar los elementos en grupos relacionados, gracias sobre todo a Chancourtois en Francia en 1863, Newlands en Londres en 1864 y más especialmente Lothar Meyer de Alemania y Mendeleev en Rusia en 1869. Meyer y Mendeleev formularon la ley periódica, señalando que las propiedades de los elementos variaban de manera periódica con sus pesos atómicos, construyendo así una tabla periódica de los elementos para ejemplificar la ley. Algunos químicos anteriores, de los que Newlands es un conspicuo ejemplo, trataron de agrupar los elementos conocidos en una clasificación completa y, al hacerlo, forzaron en algunos elementos relaciones anómalas. Lothar Meyer, 1830-1895, y especialmente Mendeleev, 1834-1907, subrayaron la existencia de huecos en la tabla periódica que habrían de ocupar elementos aún desconocidos, prediciendo Mendeleev con notable precisión las propiedades de algunos de esos elementos que faltaban, todos los cuales se descubrieron a continuación.

La clasificación periódica suministró la primera guía teórica para la búsqueda de elementos nuevos. Los veintitrés elementos que conocía Lavoisier se habían descubierto por el estudio aleatorio de sus reacciones químicas específicas. El análisis químico práctico se hizo más sistemático y, al aplicarse a los especímenes minerales suministrados por los geólogos, llevó al descubrimiento de treinta y un nuevos elementos en el período que va de 1790 a 1830. Entre 1830 y 1860 se hizo poco por lo que respecta al aislamiento y a la identificación de elementos nuevos, salvo la separación parcial de las tierras raras por Mosander, el sucesor de Berzelius en Upsala, Suecia. No obstante, en 1859 el químico Bunsen, 1811-1899, y el físico Kirchhoff, 1824-1887, ambos de Heidelberg, introdujeron el espectroscopio, mediante el cual se podían examinar e identificar los colores característicos comunicados a la llama por las sustancias químicas. Con dicho instrumento, Bunsen descubrió los nuevos metales alcalinos, el cesio y el rubidio, en 1860-1861. En Londres, sir William Crookes, 1832-1919, halló el elemento talio espectroscópicamente en 1861, y Ferdinand Reich, de la Escuela de Minas de Friburgo, descubrió el indio por los mismos procedimientos en 1863. El nuevo grupo de descubrimientos estuvo en función de los esfuerzos por dar con los elementos que faltaban en la tabla periódica. En 1874, Boisbaudran, de Francia, halló el galio, el eka-aluminio predicho por Mendeleev, mientras que el químico escandinavo Nilson descubrió el escandio o eka-boro en 1879 y finalmente Winkler, de la Escuela de Minas de Friburgo, aisló el germanio o eka-silicio en 1885.

						Ti	50	Zr	90	?	100
						V	51	Nb	94	Ta	182
						Cr	52	Mo	96	W	186
						Mn	55	Rh	104·4	Pt	197·4
						Fe	56	Ru	104·4	Ir	198
					Ni =	Co	59	Pd	106·6	Os	199
H I						Cu	63·4	Ag	108	Hg	200
	Be	9·4	Mg	24		Zn	65·2	Cd	112		
	B	11	Al	27		?	68	U	116	Au	197?
	C	12	Si	28		?	70	Sn	118		
	N	14	P	31		As	75	Sb	122	Bi	210?
	O	16	S	32		Se	79·4	Te	128?		
	F	19	Cl	35·5		Br	80	I	127		
Li 7	Na	23	K	39		Rb	85·4	Cs	133	Tl	204
			Ca	40		Sr	87·6	Ba	137	Pb	207
			?	45		Ce	92				
			Er?	56		La	94				
			Yt?	60		Di	95				
			In	75·6?		Th	118?				

Primera tabla periódica de Mendeleev de marzo de 1869.

La ordenada disposición de los elementos en la tabla periódica sugirió a algunos químicos que los diversos elementos podrían tener algo en común; podrían haber evolucionado a partir de un origen común o componerse a base de las mismas unidades fundamentales de la materia. La hipótesis de Prout de que los diversos átomos elementales están construidos a base de un número de átomos de hidrógeno se resucitó de nuevo, de modo que durante las dos últimas décadas del siglo XIX estaba «en el aire de la ciencia», como señaló sir William Crookes. En la reunión de 1886 de la Asociación Británica, Crookes sugirió que los elementos habían evolucionado a partir de cierta materia primordial que denominó *protyle.* La hipótesis de Prout, señaló, contenía una verdad «oculta por ciertos fenómenos residuales o colaterales que aún no hemos conseguido eliminar». Una vez más, en la reunión de 1894 de la Asociación Británica, lord Salisbury declaró que, entre los elementos, «el descubrimiento de familias coordinadas señala cierto origen idéntico». Tales opiniones se reforzaron en 1901, cuando lord Rayleigh, 1842-1919, señaló que los pesos atómicos de los elementos tienden a aproximarse a números enteros mucho más, con una probabilidad mayor que mil a uno, de lo que sería de esperar de la distribución aleatoria de dichos pesos. Así, observaba,

> poseemos más poderosas razones para creer en la verdad de alguna modificación de la ley de Prout que para creer en la de muchos acontecimientos históricos universalmente aceptados como incuestionables.

A fin de contrastar la validez de la hipótesis de Prout, lord Rayleigh llevó a cabo a partir de 1890 una serie de investigaciones en Cambridge sobre la densidad de varios gases. Al hacerlo, descubrió en 1892 que la densidad del nitrógeno atmosférico era superior que la del nitrógeno preparado por procedimientos químicos. Tras apartar el nitrógeno y los otros gases reactivos de las muestras de aire, Rayleigh y William Ramsay, 1852-1916, de Londres, obtuvieron una pequeña cantidad de un gas nuevo que era químicamente muy inerte y más pesado que el nitrógeno en la proporción 20 : 14. Crookes examinó el espectro de este gas y mostró que era distinto de los espectros suministrados por cualquiera de los elementos conocidos. Se trataba por tanto de un nuevo elemento, el argón, el primero de los gases inertes. En 1895 Ramsay obtuvo del mineral cleveíta otro gas inerte que examinó de nuevo Crookes espectroscópicamente. Mostró que las líneas espectrales que producía eran idénticas a las observadas en la fotosfera solar del eclipse de sol de 1868 por el astrónomo Janssen en Francia, y Lockyer en Inglaterra, líneas que se habían atribuido a un elemento del sol, el helio, desconocido entonces en la tierra. Finalmente, en 1898, Ramsay aisló otros tres gases inertes: el neón, el kriptón y el xenón, de las fracciones pesadas que quedaban tras la evaporación parcial del aire líquido que habían preparado por vez primera Hampson en Inglaterra y Linde en Alemania tres años antes.

Con el aislamiento de los gases inertes, el descubrimiento de los ocho grupos o tipos principales de elementos químicos tocó a su fin, aunque aún quedaron huecos debidos a elementos que faltaban en esos grupos. El ulterior avance en el descubrimiento de elementos nuevos y, ciertamente, en el desarrollo de la química en general empezó a depender cada vez más de la ciencia de la física. Los métodos físicos ya habían hecho su entrada en la química con el advenimiento de la espectroscopia, y un desarrollo dentro de este campo, el uso de la espectroscopia de rayos X debido a Henry Moseley, 1888-1915, en Manchester, eliminó finalmente algunos problemas residuales relativos al posible número de tierras raras y otros elementos pesados. Se descubrió que los espectros visibles de los elementos eran una función periódica de sus pesos atómicos, como sus propiedades químicas, mas las líneas espectrales con rayos X suministradas por los elementos resultaron estar linealmente relacionadas con sus pesos atómicos o más bien con sus números atómicos, la posición ordinal de los elementos en la tabla periódica, comenzando con el hidrógeno como uno. En 1913-1914, Moseley fijó el número absoluto de elementos hasta el uranio en noventa y dos, mostrando que había catorce metales entre las tierras raras, así como siete elementos más ligeros que el uranio aún sin descubrir.

El descubrimiento de la radiactividad por Antoine Becquerel, 1852-1909, en París en el año 1896 pareció confirmar lo que para entonces los químicos llevaban tiempo sospechando; a saber, que los elementos estaban conectados genéticamente. Los nuevos elementos radiactivos, como el radio, que se aisló en 1900 gracias a Madame Curie, 1867-1934, resultaron desintegrarse espontáneamente en otros elementos, que a su vez se desintegraban de nuevo en elementos más ligeros. Dichos elementos se aislaron y caracterizaron mediante análisis químico, y de esta manera se detectaron tres árboles familiares de desintegración radiactiva natural. No obstante, el fenómeno de la radiactividad poseía un significado mayor para los físicos y, ciertamente, este fenómeno ejerció su impacto principal sobre las teorías químicas a través de la física atómica. A partir de la segunda década del siglo XX, la química teórica se integró cada vez más con la física atómica por lo que atañe tanto a las teorías de la constitución del átomo como a las teorías sobre la combinación química. En el aspecto práctico, la física atómica suministró a los químicos nuevos materiales, primero las versiones radiactivas de los elementos ordinarios, empleadas para trazar el curso de las reacciones químicas, y luego los nuevos elementos más pesados que el uranio, que han ampliado la tabla periódica.

5. La teoría ondulatoria de la luz

Durante el siglo XVIII hubo muy pocos desarrollos en la ciencia de la óptica. En general se aceptó la opinión newtoniana de que los rayos de luz constaban de una corriente de partículas con movimiento rectilíneo, si bien se abandonó su idea de que los movimientos de las partículas de luz estimulaban o iban acompañados por vibraciones en un éter que todo lo llenaba. La validez de la teoría corpuscular de la luz parecía completamente asegurada a finales del siglo XVIII merced al desarrollo debido a Lagrange y Laplace del sistema newtoniano general, del que la teoría corpuscular de la luz se consideraba parte integrante. No obstante, en esa época los filósofos de la naturaleza alemanes iniciaron un ataque a la filosofía newtoniana, oponiéndose en particular a la teoría de la luz de Newton. Los filósofos de la naturaleza sostenían que los diversos colores espectrales no componían la luz blanca. En su opinión, los diversos colores eran un producto del conflicto entre luz y tinieblas. La propia luz blanca no constaba de partículas en movimiento, sino que no era nada más que una tensión en el éter. Las ideas de los filósofos de la naturaleza eran tremendamente especulativas, teniendo escasa influencia directa sobre la ciencia de la óptica; mas es posible que introdujesen una reorientación del estudio físico al fisiológico de la luz, pues sostenían que las ilusiones ópticas producidas por el ojo eran tan reales y merecedoras de estudio como los demás fenómenos ópticos.

Las teorías de los filósofos de la naturaleza eran quizá sintomáticas de una más amplia revuelta contra la filosofía newtoniana, pues la teoría ondulatoria de Huygens acerca de la luz fue resucitada por el físico londinense Thomas Young, 1773-1829, en el año 1801, aunque no había entonces nuevas pruebas en su favor. De hecho, el propio Young señalaba:

> Por más que venere el nombre de Newton, no por ello estoy obligado a creer que era infalible. Veo [...] con pena que era susceptible de equivocarse y que su autoridad quizá haya a veces retardado incluso el progreso de la ciencia.

Young, como su contemporáneo Dalton, provenía de una familia cuáquera. Estudió medicina y comenzó sus investigaciones con el cirujano John Hunter, 1728-1793, en Londres, examinando problemas de óptica fisiológica. Young mostró que la acomodación del ojo a los objetos situados a diferentes distancias se debía a cambios en la curvatura de su lente cristalino. Sugería que la retina del ojo poseía estructuras sensibles a la luz roja, verde y violeta respectivamente, a fin de explicar la visión del color y el daltonismo.

Young prosiguió sus estudios de medicina en Edimburgo, Cambridge y finalmente en Gotinga, Alemania, donde encontró razones para resucitar la teoría ondulatoria de la luz. Para su disertación doctoral en Gotinga, Young presentó una tesis sobre los sonidos y la voz humana, un tema que ponía en conexión con su trabajo anterior sobre óptica, sugiriendo que tanto el sonido como la luz eran vibraciones ondulatorias, siendo los colores análogos a las notas de diferentes frecuencias. Se aceptaba en general que el sonido consistía en vibraciones ondulatorias del aire a lo largo de la dirección del haz de sonido, por lo que Young presumía que la luz constaba de similares vibraciones longitudinales de un éter luminífero que llenaba todo el espacio, tal y como Huygens había hecho antes que él. Señalaba que la luz proviniente de una fuente intensa viajaba con la misma rapidez que la procedente de una débil, hecho que se podría explicar mediante la teoría ondulatoria de la luz con más facilidad que mediante la teoría corpuscular. Era de sobra sabido que dos conjuntos de ondas de agua podían interferir unos con otros, por lo que Young realizó un experimento en el que dos haces de luz se solapaban e interferían, produciendo bandas claras y oscuras alternantes allí donde un haz reforzaba o cancelaba al otro. Por la separación de las bandas y las dimensiones del aparato pudo calcular las longitudes de onda de las vibraciones de la luz, mostrando que eran aproximadamente del orden de una millonésima de metro. Dado que las longitudes de onda de las vibraciones de luz eran muy pequeñas comparadas con el tamaño de los objetos visibles, Young señalaba que la luz viajaría en línea recta, pudiendo

Longitudes de los colores del espectro

LÍMITES de los colores principales	VALORES extremos de *d* (mm)	COLORES principales	VALORES medios de *d* (mm)
Violeta extremo	0,000406	Violeta	0,000423
Violeta - índigo	0,000439	Índigo	0,000449
Índigo - azul	0,000459	Azul	0,000475
Azul - verde	0,000492	Verde	0,000512
Verde - amarillo	0,000532	Amarillo	0,000551
Amarillo anaranjado	0,000571	Anaranjado	0,000583
Anaranjado - rojo	0,000596	Rojo	0,000620
Rojo extremo	0,000645		

producir sombras nítidas. Era consciente de que los haces de luz se doblaban en cierta medida en torno a las aristas de los objetos opacos, produciendo sombras con bordes de colores y otros efectos de la interferencia que habían sido estudiados por Grimaldi y otros durante el siglo XVII. Young señalaba dichos fenómenos como pruebas en favor de la teoría ondulatoria de la luz. Tras completar la explicación de los fenómenos ópticos entonces conocidos en términos de la teoría ondulatoria de la luz, Young, junto con Wollaston, verificó el análisis de Huygens de los fenómenos de doble refracción observados en cristales de espato de Islandia.

El resurgimiento en Inglaterra de la teoría ondulatoria de la luz provocó a los newtonianos franceses, estimulando en Francia el estudio de los problemas ópticos. Respondiendo a Young, Laplace hizo en 1808 un análisis del fenómeno de la doble refracción en términos de la teoría corpuscular de la luz. El mismo año, Malus, 1775-1812, de la Escuela Politécnica, descubrió el fenómeno de la polarización óptica por reflexión, efecto que se produce cuando un haz de luz se encuentra con un medio transparente, como el vidrio, reflejándose en parte y en parte transmitiéndose. Malus halló que las dos imágenes del sol que se ven por reflexión en el vidrio a través de un cristal de espato de Islandia eran de intensidad desigual, y Arago, 1786-1853, también de la Politécnica, descubrió que ese mismo fenómeno se observaba cuando el rayo transmitido se miraba de manera similar. El asunto fue investigado más intensamente por David Brewster, 1781-1868, en Edimburgo, mostrando que cuando los rayos reflejado y transmitido estaban entre sí en ángulo recto, ambos estaban plenamente polarizados; esto es, sólo podía verse una imagen a través de un cristal de espato de Islandia cuando se estudiaba sea el rayo reflejado, sea el transmitido. Descubrió además una ley empírica general que regía el grado de polarización de ambos rayos cuando no se encontraban en ángulo recto.

El descubrimiento de la polarización de la luz por reflexión parecía apoyar inicialmente la teoría corpuscular de la luz. Newton había sugerido que las partículas de luz tenían «lados», a fin de explicar la división de un haz de luz en dos al pasar por un cristal de espato de Islandia. Ahora daba la impresión de que los diferentes «lados» de las partículas de luz hacían que algunas de ellas se transmitiesen y otras se reflejasen en la superficie de los medios transparentes, dando haces polarizados. Young consideró durante un tiempo que el fenómeno era contrario a la teoría ondulatoria de la luz, mas en 1817 vio que si las vibraciones de luz tenían lugar transversalmente a la dirección del movimiento, como las ondas de agua o las vibraciones a lo largo de una cuerda estirada, en lugar de en la dirección del movimiento, como las ondas de sonido, entonces el problema podría resolverse. Había dos modos posibles de vibración en ángulo recto respecto a la dirección del movimiento del haz de luz, por lo que la polarización de la luz podría atribuirse a la separación de ambos modos en una superficie de vidrio, constituyendo un modo el rayo reflejado, y el otro, el transmitido. Young mencionó esta hipótesis en una carta escrita a Arago en 1817. Ese mismo año, la Academia de Ciencias ofreció un premio al mejor ensayo sobre el tema de la difracción óptica, estando entre los que competían por el premio Fresnel, 1788-1827, un ingeniero civil que había tratado de resucitar independientemente de Young la vieja teoría ondulatoria longitudinal acerca de la luz. Arago mencionó la nueva sugerencia de Young a Fresnel, quien hizo de ella la base de su ensayo para el concurso, en el que mostró que todos los fenómenos conocidos de la óptica se podrían explicar en términos de la hipótesis de que la luz consiste en vibraciones ondulatorias transversales.

La nueva teoría ondulatoria de la luz planteó problemas por lo que respecta al éter luminífero, el medio en el que se suponía que tenían lugar las vibraciones de la luz. Fresnel se-

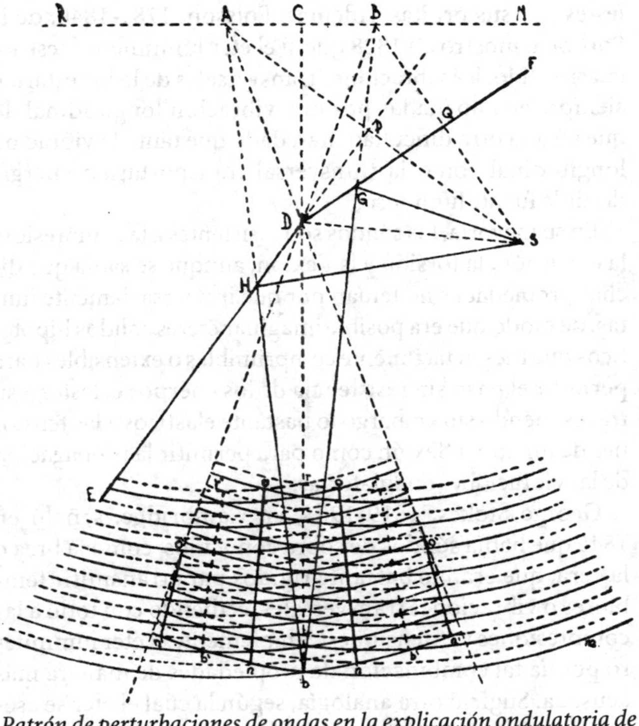

Patrón de perturbaciones de ondas en la explicación ondulatoria de Fresnel.

ñaló en 1821 que las vibraciones longitudinales, como las del sonido en el aire, podrían propagarse en un medio de tipo gaseoso, mientras que las vibraciones transversales, como el temblor de una gelatina, solo podían tener lugar en un medio que tuviese características del estado sólido de la materia. Era difícil imaginar un éter lo suficientemente sólido y rígido para transmitir las ondas transversales de luz y que a la vez permitiese el paso libremente a los cuerpos celestes por sus órbitas. Además, Poisson, 1781-1840, de la Sorbona, mostró en 1828 que si el éter luminífero fuese un cuasi-sólido, las vibraciones transversales de la luz estarían siempre acompañadas por una vibración longitudinal, lo que añadía otra dificultad más, dado que tanto la vibración longitudinal como la transversal transportarían energía desde la fuente luminosa.

En su mayoría, los sólidos son resistentes a la compresión, la extensión, la torsión y la flexión, aunque se sabía que dichas propiedades no tenían por qué ir necesariamente juntas, de modo que era posible imaginar éteres sólidos hipotéticos que fuesen fácilmente comprimibles o extensibles para permitir el paso sin resistencia de los cuerpos celestes a su través, siendo sin embargo lo bastante elásticos a las tensiones de torsión o flexión como para permitir la propagación de las vibraciones ondulatorias.

George Stokes, 1819-1903, en Cambridge, señaló en 1845 que había sólidos de sobra conocidos, como la brea o la cera, que eran lo bastante rígidos para transmitir temblores o vibraciones transversales, cediendo con todo a las compresiones y extensiones. Simplemente el éter luminífero poseía tal combinación de propiedades de manera más acusada. Sugirió otra analogía, según la cual el éter se asemejaba a una gelatina muy diluida o cola en agua, que permitía el movimiento de los objetos a su través a la vez que podía propagar vibraciones. En 1839, James MacCullagh, 1809-1847, en Dublín, inventó un éter compuesto de elementos que resistía tan sólo a las tensiones de torsión rotatoria, mediante el cual fue capaz de explicar una amplia variedad de fenómenos ópticos en términos de las leyes de la dinámica. Más tarde, en 1889, lord Kelvin, 1824-1907, en Glasgow, construyó un modelo mecánico de un elemento del éter de MacCullagh. Dispuso cuatro barras tetraédricamente, sirviendo cada una de ellas de eje de un par de volantes giroscópicos con giros contrarios. Este modelo resistía todas las perturbaciones rotatorias, pero no los movimientos transversales.

Mientras tanto, Cauchy, 1789-1857, de la Escuela Politécnica, había propuesto dos teorías del éter en un intento de explicar los fenómenos tanto de la reflexión como de la refracción de la luz, suponiendo que el éter cambiaba sea en elasticidad o en densidad en el interior de los cuerpos materiales. En 1839 publicó una tercera teoría en la que sugería que el éter era contráctil o lábil, poseyendo una compresibilidad negativa, a fin de superar la dificultad señalada por Poisson en 1828 según la cual habría vibraciones longitudinales acompañando a las transversales. En dicho éter Cauchy demostró que la onda longitudinal tendría velocidad cero, por lo que no sería capaz de transportar nada de la energía de las vibraciones transversales. George Green, 1793-1841, el fundador de la escuela de Cambridge de físicos matemáticos, señaló que este éter sería inestable, tendiendo a contraerse continuamente. Kelvin examinó de nuevo el éter de Cauchy en 1888, sugiriendo que era análogo a una espuma homogénea, libre de aire, que no pudiera colapsar por la adhesión a las paredes de un recipiente rígido. Tal éter no sería inestable, sostenía, si se extendía por un espacio infinito o si poseía un recipiente rígido como límite.

La teoría ondulatoria de la luz estaba bien establecida a mediados del siglo XIX, y lo que pareció una verificación fundamental de dicha teoría fue obra de dos franceses aficionados, Fizeau, 1819-1896, y Foucault, 1819-1868, quienes midieron la velocidad de la luz en diversos medios entre 1849 y 1862. En el siglo XVII Descartes había mostrado que, según la teoría corpuscular, la luz habría de viajar más rápidamente en los medios densos transparentes que en el aire, mientras que la teoría ondulatoria sugería que la luz había de viajar más lentamente. En 1849 Fizeau midió el tiempo empleado por la luz para atravesar una distancia dada mediante una rueda dentada en rotación que, a determinada velocidad, permitía a la luz pasar por el espacio entre dos dientes consecutivos y retornar por el espacio siguiente. En 1850 y 1862, Foucault empleó un espejo rotatorio que a una velocidad medida realizaba una revolución completa en el tiempo empleado por la luz para ir y volver a un espejo estacionario. Sus resultados concordaron con el valor de la velocidad de la luz determinado astronómicamente por Bradley en 1827, mostrando el trabajo de Foucault que la luz viajaba más lentamente en el agua que en el aire en la proporción de los índices de refracción del agua y el aire, cosa que predecía la teoría ondulatoria.

6. El desarrollo de la electricidad y el magnetismo

La ciencia de la electricidad se desarrolló rápidamente a lo largo del siglo XVIII, frente al caso de la óptica, cuyo progreso fue lento en ese mismo período. Gracias al estímulo representado por el descubrimiento del telescopio y el microscopio, los problemas ópticos se habían estudiado con intensidad durante el siglo XVII, pero se dieron estímulos escasos en el período inmediatamente posterior. Por otro lado, la ciencia de la electricidad se tornó muy popular, especialmente tras el descubrimiento del choque eléctrico en 1745 y la identificación del rayo con la descarga eléctrica poco después. Se hicieron algunas propuestas médicas un tanto extravagantes acerca de las virtudes vitalizadoras del choque eléctrico, yendo algunos tan lejos como para identificar la electricidad con la fuerza cósmica de la naturaleza. Lamarck, como se recordará, sostuvo que la electricidad, conjuntamente con el calor, constituía la fuerza directriz de la evolución orgánica. John Wesley, 1703-1791, el fundador del metodismo, declaraba que «la electricidad es el alma del universo», opinión que los filósofos de la naturaleza alemanes casi llegaron a compartir, fascinados como estaban por las polaridades opuestas que exhibía la electricidad.

Puede decirse que en la época moderna el estudio de la electricidad, así como el del magnetismo, comenzó con las investigaciones de William Gilbert de Colchester durante el siglo XVI. Los griegos de la Antigüedad sabían que el ámbar presentaba propiedades eléctricas, mas Gilbert mostró que no era en absoluto un caso único, descubriendo que el vidrio, el lacre, el azufre y las piedras preciosas atraían también trocitos de papel y de paja cuando se frotaban. Se dio cuenta de que las fuerzas eléctricas y magnéticas eran de carácter distinto, ya que los imanes actuaban sólo sobre la piedra imán y sobre los objetos de hierro, orientándolos en una dirección específica, mientras que las fuerzas eléctricas actuaban sobre una amplia variedad de materiales, siendo no direccionales. Durante el siglo XVII, Otto von Guericke, el inventor de la bomba de aire, construyó una máquina eléctrica para generar grandes cantidades de carga eléctrica. Montó una bola de azufre de manera que pudiese girar continuamente, siendo frotada por la mano o por una tela para producir una carga eléctrica. Otro instrumento eléctrico importante fue la botella de Leiden, que servía para concentrar cargas eléctricas y que se descubrió a la vez que el choque eléctrico en 1745 gracias a Pieter van Musschenbroek, 1692-1761, de Leiden. Trató de evitar que la carga eléctrica se disipase utilizando una botella de agua, llevando para ello la carga desde una máquina eléctrica hasta la botella por medio de un cable. Mantuvo en una mano la parte externa de la botella y tocó el cable con la otra, momento en que, como dijo, «el brazo y el cuerpo se vieron afectados de una manera terrible que soy incapaz de expresar; en una palabra, creí llegado mi fin».

Benjamin Franklin, 1706-1790, de Filadelfia, llevó a cabo con estos instrumentos una serie de investigaciones para demostrar que el rayo era de carácter eléctrico. En 1749 señaló que tanto el relámpago como la chispa eléctrica eran prácticamente instantáneos, produciendo una luz y un ruido similares. Ambos eran capaces de prender fuego a los cuerpos y de fundir los metales; ambos fluían por los conductores, especialmente los metales, y se concentraban en las puntas; asimismo eran capaces de destruir el magnetismo o de invertir la polaridad de un imán, pudiendo ambos matar a las criaturas vivas. En 1752 llevó a cabo su famoso experimento de la cometa, recogiendo la carga de una nube de tormenta en una botella de Leiden y mostrando que poseía efectos similares a los de la carga producida por una máquina eléctrica. Para explicar los fenómenos de la electricidad que él conocía, Franklin supuso que había un fluido eléctrico imponderable que llenaba todo el espacio y los cuerpos materiales, siendo dichos cuerpos neutros cuando la concentración del fluido en su interior y en el exterior era la misma. Un exceso de fluido tornaba a un cuerpo positivamente cargado, mientras que un defecto lo tornaba negativamente cargado. Franklin sostenía que la luz constaba de vibraciones de un éter que llenaba el espacio, y, a la manera de otros partidarios de la teoría ondulatoria, Leonard Euler antes que él y Thomas Young después, pensaba que el fluido eléctrico del espacio podía ser idéntico al éter luminífero.

Una de las cortapisas de la teoría de Franklin, señalada en 1759 por Franz Aepinus, 1724-1802, de la Academia de Ciencias de San Petersburgo, era que los condensadores de aire se descargarían automáticamente si hubiese un fluido eléctrico en el espacio comprendido entre sus placas. Aepinus prefería considerar la atracción eléctrica como una acción a distancia, a la manera de la gravedad. Otra objeción era que la carga eléctrica parecía residir en la superficie de los cuerpos y no en todo su volumen, como sugería la teoría de Franklin. Stephen Gray, un pensionista de Charterhouse, muerto en 1736, había mostrado en 1729 que los cubos de roble macizos y huecos mostraban los mismos efectos cuando se cargaban de la misma manera, lo que indicaba que la carga permanecía enteramente en la superficie de los cubos.

Joseph Priestley hizo un experimento similar en 1767, mostrando que un cuerpo hueco cargado no ejercía fuerza alguna sobre las cargas eléctricas situadas en su interior. Newton había mostrado que si la fuerza gravitatoria disminuía con el cuadrado de la distancia a su fuente, una capa esférica de

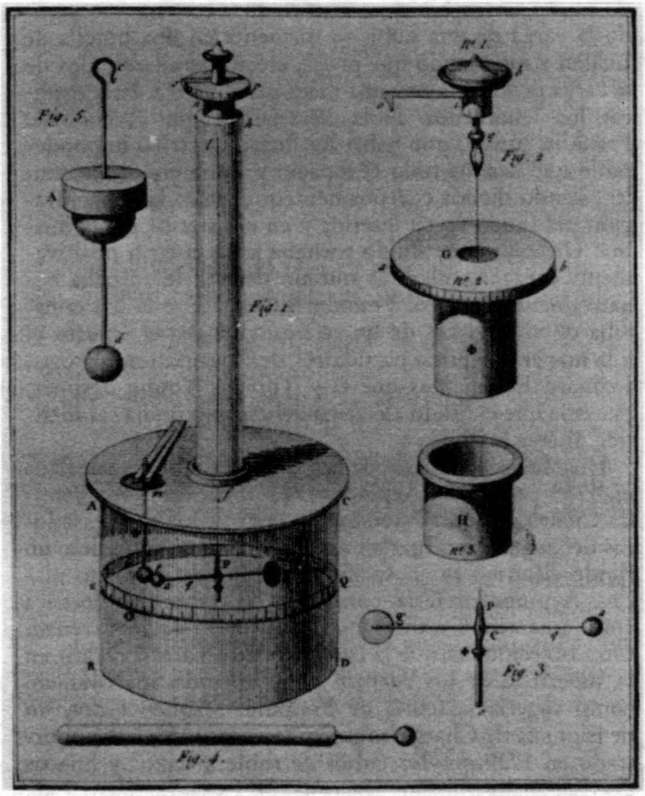

Balanza de torsión de Coulomb para medir la fuerza a distancia entre cuerpos cargados eléctricamente.

materia no ejercería ninguna tracción gravitatoria sobre los cuerpos de su interior, de donde concluía Priestley que, por analogía, también la fuerza eléctrica ejercía una ley del inverso del cuadrado. En 1750, John Michell, 1724-1793, en Cambridge, había descubierto ya la ley del inverso del cuadrado de la repulsión entre polos magnéticos similares. Tras suspender un imán de un hilo, Michell le acercó otro imán y midió la fuerza repulsiva entre ellos mediante la torsión impartida al hilo. En Francia, el ingeniero Coulomb, 1738-1806, redescubrió la balanza de torsión de Michell y, entre 1785 y 1789, demostró la variación inversa del cuadrado de la fuerza con la distancia tanto para las atracciones como para las repulsiones eléctricas y magnéticas. Al menos a los físicos franceses les parecía que estos descubrimientos mostraban que las fuerzas eléctricas y magnéticas eran de la misma especie que la gravedad, operando a distancia a través del espacio vacío y obedeciendo la ley del inverso del cuadrado.

Los filósofos de la naturaleza alemanes se interesaban por un aspecto distinto de la electricidad y el magnetismo, a saber, el fenómeno de la polaridad, que parecía ejemplificar perfectamente la tensión dialéctica que postulaban entre las fuerzas o polos opuestos que ordenaban el caos. Puesto que según su filosofía había solamente un tipo de fuerza tras el desarrollo de la naturaleza, a saber, la del espíritu del mundo, sostenían que la luz, la electricidad, el magnetismo y las fuerzas químicas se hallaban todas ellas interconectadas: todas ellas eran distintos aspectos de lo mismo. Uno de los discípulos de Schelling, Hans Christian Oersted, 1777-1851, profesor de física en Copenhague, anunció en 1807 que estaba buscando la conexión entre el magnetismo y la electricidad. Franklin había mostrado en 1751 que las agujas de hierro podían magnetizarse y desmagnetizarse eléctricamente mediante la descarga de una botella de Leiden. La botella de Leiden proporcionaba exclusivamente una corriente eléctrica transitoria, mientras que la pila eléctrica, inventada en 1799, proporcionaba una fuente continua de corriente, con la que Oersted consiguió demostrar en 1820 los efectos magnéticos de dichas corrientes. Mostró que un cable que transportase una corriente eléctrica rotaría en torno a un polo magnético e, inversamente, un imán tendería a moverse en torno a un cable estacionario que transportase una corriente. Recurriendo a la terminología de su escuela, escribía Oersted:

> Daremos el nombre de conflicto de electricidad al efecto que tiene lugar en el conductor y en el espacio en torno. Todos los cuerpos no magnéticos parecen penetrables por el conflicto eléctrico, mientras que los cuerpos magnéticos resisten el paso de dicho conflicto. De ahí que puedan moverse merced al impulso de los poderes enfrentados [...]. De los hechos anteriores podemos colegir asimismo que dicho conflicto realiza círculos, ya que sin este extremo parece imposible que una parte del cable conector, cuando está situado bajo el polo magnético, lo desvíe hacia el este, y, cuando está situado encima de él, hacia el oeste, ya que está en la naturaleza del círculo que los movimientos hacia partes opuestas posean una dirección opuesta.

El descubrimiento de Oersted despertó un interés considerable, dado que las fuerzas principales entonces conocidas poseían un carácter lineal de tracción y empuje, como las atracciones y repulsiones gravitatorias, eléctricas y magnéticas; mas he aquí un caso de una fuerza rotatoria. El fenómeno dejó sumida en la perplejidad especialmente a la escuela francesa de física newtoniana, dado que eran los más acérrimos defensores del punto de vista según el cual todas las acciones eran el resultado de fuerzas de empuje y tracción que operaban a distancia según la ley del inverso del cuadrado. No obstante, Ampère, 1775-1836, de la Escuela Politécnica, había mostrado a finales de 1820 que un cable en forma de espira circular que llevase una corriente se comportaba como un imán ordinario, mostrando atracciones y repulsiones de tracción y empuje, por lo que presumía en 1825 que el magnetismo derivaba de pequeñas corrientes eléctricas sin resistencia en las partículas de los cuerpos magnéticos.

Otro miembro de la escuela alemana, Thomas Seebeck, 1770-1831, que asistía a Goethe en sus trabajos científicos, buscaba una conexión entre el calor y la electricidad. En 1822 halló que una unión de dos metales distintos proporcionaba un potencial eléctrico cuando se calentaba y una corriente cuando se cerraba el circuito. Frente a las pilas voltaicas empleadas en la época, la fuente térmica de electricidad de Seebeck proporcionaba potenciales muy uniformes, lo que permitió a otro alemán, George Ohm, 1787-1854, luego profesor de física de Múnich, trabajar entre 1826 y 1827 en las relaciones entre potencial, corriente y resistencia en un circuito eléctrico. Ohm estaba influido por los trabajos de Fourier sobre el flujo de calor a través de conductores térmicos, publicados en 1822, por lo que trató de llevar a cabo un análisis similar del flujo eléctrico, definiendo el potencial eléctrico en analogía con la temperatura y la magnitud de la corriente eléctrica por analogía con la cantidad de calor.

Las investigaciones más importantes de cuantas conectaban los efectos eléctricos con otros fenómenos fueron las desarrolladas por Michael Faraday, 1791-1867, asistente de Davy y su sucesor en la Institución Real de Londres. Inicialmente, Faraday prosiguió el trabajo químico de Davy, mas se pasó progresivamente al campo de la física. En 1826 descubrió lo que parecía ser un caso de isomería al estudiar el butileno y el etileno, y en 1833 estableció que la misma cantidad de electricidad producía la descomposición del mismo número de equivalentes de diversas sustancias químicas. El segundo descubrimiento indicaba que si la materia química fuese atómica, entonces también la electricidad debería presentar un carácter corpuscular. No obstante, Faraday rechazó tanto la premisa como la conclusión, prefiriendo la concepción según la cual «la materia se halla presente en todas partes, sin que exista un espacio intermedio que no esté ocupado por ella».

Las investigaciones físicas de Faraday fueron más notables. Se sabía desde hacía tiempo que un imán podía inducir magnetismo en un trozo de hierro adyacente, así como que una carga eléctrica estática podía inducir la aparición de otra carga en un cuerpo vecino. Faraday pensaba que lo mismo habría de poder decirse de las corrientes eléctricas, por lo que empezó a buscar el efecto aproximadamente a partir de 1822, cuando observó por vez primera un cierto número de posibles conexiones entre fenómenos naturales, conexiones que empezó a investigar subsiguientemente, detectándolas en algunos casos. En 1831 Faraday descubrió el fenómeno de la inducción electromagnética que mostraba que una corriente eléctrica podría generar otra, ligando en general el movimiento mecánico y el magnetismo con la producción de la corriente eléctrica. Halló que una corriente que cambia de magnitud en un cable en espiral podía inducir una corriente transitoria en una espiral próxima. El mismo efecto podía producirse moviendo un cable en espiral que transportase una corriente continua o, lo que venía a ser lo mismo, un imán permanente, en la vecindad de un segundo cable en espiral. De este modo, Faraday descubrió el principio básico de la dinamo, de la misma manera que Oersted había descubierto el principio del motor eléctrico.

A fin de explicar los fenómenos de la electricidad y del magnetismo conocidos en sus días, Faraday desarrolló una serie propia de imágenes características. Como hemos visto, rechazaba la teoría atómica de la materia y con ella la concepción de que las fuerzas actuasen a distancia a través del espacio vacío. Sostenía que la materia era omnipresente en la forma de un continuo etéreo que actuaba como vehículo de las fuerzas de la naturaleza. Según Faraday, el éter que llenaba todo el espacio se componía de líneas o tubos de fuerza que conectaban cargas eléctricas opuestas o polos magnéticos opuestos. Se podía trazar un mapa de las líneas que componían un campo magnético por medio de un pequeño imán o bien esparciendo limaduras de hierro en un papel que se situase en el campo, momento en que las líneas que unían los polos opuestos se tornaban visibles. Para Faraday, las líneas y tubos de fuerza poseían un significado físico real. Cada línea de fuerza correspondía a una unidad de magnetismo o a una unidad de carga eléctrica. Un cierto número de líneas componían un tubo de fuerza que conectaba polos o cargas opuestas, indicando la orientación del tubo en un punto cualquiera la dirección del campo magnético o eléctrico en dicho punto. Los tubos aumentaban y disminuían el área de su sección a lo largo de su longitud a medida que las líneas de fuerza divergían de sus puntos de origen, los polos o las cargas. El área de la sección de un tubo de fuerza constituía una medida de la fuerza del campo eléctrico o magnético en dicha sección, ya que el producto del área de la sección y la potencia del campo era constante a lo largo de la longitud del tubo, hallándose determinada la magnitud de la constante por el número de líneas de fuerza que formaban el tubo. Faraday suponía que los tubos de fuerza tendían a contraerse longitudinalmente y a expandirse lateralmente, de manera que los tubos que unían polos magnéticos o cargas eléctricas distintas tendían a juntar dichos polos o cargas, mientras que polos o cargas semejantes se repelían mutuamente, dado que los tubos que irradiaban de ellos no podían unirse y empujaban unos contra otros debido a su expansión lateral. Ofrecía además una explicación de la ley del inverso del cuadrado de las atracciones y repulsiones eléctricas y magnéticas, dado que las líneas de fuerza eléctricas y magnéticas disminuían geométricamente con el cuadrado de la distancia a su origen. En el caso de la inducción electromagnética, Faraday sugería que la cantidad de electricidad inducida en un conductor dependía del número de líneas de fuerza magnética que cruzaba, mientras que la fuerza electromotriz generada era proporcional a la tasa en que dichas líneas eran cortadas.

Tras su descubrimiento de la inducción electromagnética, Faraday procedió a estudiar la influencia de los cuerpos materiales sobre los campos eléctricos de fuerza. En 1873 descubrió que un condensador eléctrico, constituido por dos placas conductoras separadas por un material aislante, tomaría de una fuente mantenida a un potencial constante una cantidad de carga eléctrica dependiente del material aislante particular utilizado. Cuando las placas estaban separadas por el vacío, el condensador adquiría una cantidad de carga eléctrica menor que cuando se usaba un material aislante, y Faraday denominó a la razón entre las cargas recibidas por el condensador en ambos casos la capacidad inductiva específica del material aislante. A fin de explicar este descubrimiento, Faraday suponía que las líneas de fuerza eléctrica se condensaban más en un material aislante que en un vacío en proporción a la capacidad inductiva específica del aislante, de modo que las placas del condensador podían acomodar más carga eléctrica en los extremos de las líneas de fuerza. En 1845 Faraday descubrió un tipo similar de interacción entre cuerpos materiales y campos de fuerza magnéticos. Halló que muestras de diversas sustancias en forma de barra, llamadas «diamagnéticas», tendían a orientarse a través del campo magnético, adoptando una posición en ángulo recto con las líneas de fuerza, frente a lo que ocurría con las barras de hierro y de otras sustancias denominadas «paramagnéticas», que se orientaban a lo largo del campo magnético, paralelas a las líneas de fuerza. A fin de explicar dichos efectos, Faraday suponía que las líneas de fuerza magnética se rarificaban en las sustancias diamagnéticas, condensándose en el hierro y otros cuerpos paramagnéticos.

Faraday se topó con el fenómeno del diamagnetismo cuando buscaba alguna conexión entre la luz, el magnetismo y la electricidad. Situó un trozo de vidrio entre los polos de un potente electroimán y observó que el vidrio se orientaba a través del campo magnético. Al pasar un haz de luz polarizada a través del vidrio a lo largo de las líneas de fuerza magnética, descubrió que el plano de polarización de la luz cambiaba. Tal interacción entre el magnetismo y la luz lo llevó a sugerir en 1846 que la luz podría consistir en vibraciones ondulatorias a lo largo de las líneas de fuerza. Faraday preguntaba:

> Si no sería posible que las vibraciones que en determinada teoría se supone que explican la radiación y los fenómenos radiantes no podrían producirse en las líneas de fuerza que conectan las partículas y consiguientemente las masas de materia; una idea que en tanto en cuanto se admita, prescindirá del éter, que, desde otro punto de vista, se supone que es un medio en el que tienen lugar dichas vibraciones.

La pregunta de Faraday constituyó la primera sugerencia de la teoría electromagnética de la luz, que fue propuesta en 1862 por Clerk Maxwell, 1831-1879. Una línea de investigación que estimuló el desarrollo de la teoría fue el estudio de la relación entre electricidad estática y corriente y, en concreto, la estimación de la velocidad de la corriente eléctrica. Charles Wheatstone, 1802-1875, profesor de física en Londres, midió en 1834 la velocidad de la corriente eléctrica examinando chispas producidas en los extremos de un largo circuito eléctrico con un espejo giratorio, estimando que la electricidad viajaba a una velocidad que era vez y media la velocidad de la luz. En Francia, Fizeau obtuvo valores para la velocidad de la electricidad en 1850 que oscilaban de un tercio de la velocidad de la luz para cables de hierro a dos tercios para los cables de cobre. Finalmente, Kirchhoff, 1824-1887, en Heidelberg, mostró en 1857 que la electricidad estática y la corriente se relacionaban mediante una constante que poseía las dimensiones de una velocidad y, comparando la fuerza atractiva de dos cargas estáticas con la fuerza magnética producida cuando se descargaban, demostró que la constante poseía la misma magnitud que la velocidad de la luz.

Clerk Maxwell, profesor de filosofía natural, primero en Londres y luego en Cambridge, trató de poner en forma cuantitativa y matemática las explicaciones en gran medida cualitativas que Faraday había sugerido para los fenómenos eléctricos y magnéticos. Ante todo, Faraday desarrolló los aspectos cualitativos de la concepción de Faraday de las líneas de fuerza, incorporando el éter de la teoría ondulatoria de la luz. Maxwell suponía que las líneas de fuerza eran tubos de éter que rotaban sobre sus ejes. La fuerza centrífuga de dichas rotaciones hacía que los tubos se expandiesen lateralmente y se contrayesen longitudinalmente, tal y como Faraday había sugerido a fin de explicar la atracción y la repulsión. Sin embargo, dos tubos vecinos que rotasen en el mismo sentido se moverían en direcciones opuestas en los puntos en que se tocasen, algo que no era mecánicamente factible. Así pues, Maxwell supuso que entre los tubos de éter había capas de partículas que rotaban en dirección opuesta a la de los tubos, a la manera de los rodamientos a bolas de los piñones libres. Si todos los tubos del éter rotasen a la misma velocidad, las partículas no cambiarían de posición, mas, en caso contrario, una partícula dada podría moverse linealmente con una velocidad que sería la media de las velocidades circulares de los tubos de ambos lados. Así, si por algún medio se alterase la velocidad rotatoria de un tubo, se propagaría una perturbación a través del sistema y las partículas se pondrían en movimiento lineal, rodando de un tubo a otro. Maxwell consideraba que las partículas eran de carácter eléctrico, por lo que pensaba que dicho movimiento de las partículas constituiría una corriente eléctrica.

Inversamente, si una partícula se desplazase de su posición normal, se ejercería una tensión tangencial sobre los tubos adyacentes y, dado que dichos tubos eran elásticos, tenderían a restaurar a la partícula desplazada a su lugar normal. Maxwell sugería que dicho estado de tensión existía en el campo electrostático entre dos placas de condensador, desplazando las cargas de las placas a las partículas eléctricas, que, a su vez, provocaban una tensión en los tubos de éter del espacio intermedio. Mediante la consideración de la posibilidad de tensiones vibratorias en su modelo de éter, Maxwell dedujo de las leyes de la dinámica que rigen la mecánica de su modelo que se propagarían perturbaciones de carácter ondulatorio a su través a la velocidad de la luz. Así pues, parecía que la luz fuese un fenómeno electromagnético o, como decía Maxwell, «que la luz consiste en ondulaciones transversales del mismo medio, lo que constituye la causa de los fenómenos eléctricos y magnéticos». En una sustancia distinta del medio etéreo del espacio vacío, Maxwell mostró que las ondas electromagnéticas se propagarían con una velocidad igual al producto de la velocidad de la luz y la raíz cuadrada de la capacidad inductiva específica de la sustancia. Dado que la velocidad de la luz en una sustancia transparente se relaciona con un índice de refracción, parecía que la capacidad inductiva específica de una sustancia sería igual al cuadrado de su índice de refracción, predicción que más tarde se confirmaría.

Maxwell no se preocupaba demasiado de la verificación experimental de las diversas predicciones derivadas de su teoría, ni tampoco desarrolló más los aspectos cualitativos de su modelo del éter electromagnético, con su sugerente concepción de partículas de electricidad o electrones. En su obra posterior, abandonó el modelo de éter y se centró en las ecuaciones matemáticas que había derivado para las perturbaciones de carácter ondulatorio del éter, aplicando dichas ecuaciones a los fenómenos ópticos. Otros científicos, especialmente lord Kelvin en Glasgow, que confiaban en los modelos mecánicos para explicar por analogía los fenómenos naturales que estudiaban, hallaron algunas dificultades para comprender la obra matemática de Maxwell, por lo que trataron de unificar los fenómenos de la luz, la electricidad y el magnetismo mediante el desarrollo de otros modelos del éter. Kelvin señaló en el año 1884:

> No estoy satisfecho hasta haber construido un modelo mecánico del objeto que estoy estudiando. Si consigo hacer uno, comprendo; de lo contrario, no. Por consiguiente, no logro captar la teoría electromagnética de la luz. Deseo comprender la luz tan plenamente como sea posible sin introducir cosas que entiendo aún menos. Por tanto me agarro a la simple dinámica, ya que ahí, y no en la teoría electromagnética, puedo hallar un modelo.

Consiguientemente, Kelvin trató de explicar en 1890 los fenómenos de la luz, la electricidad y el magnetismo por medio del éter óptico de MacCullagh, cuyos elementos se suponía que resistían las tensiones rotatorias aunque no los desplazamientos lineales. Kelvin sugería que los efectos eléctricos se debían a movimientos de traslación de los elementos del éter de MacCullagh, mientras que los fenómenos magnéticos se debían a rotaciones, debiéndose la luz a vibraciones de carácter ondulatorio. No obstante, el modelo de MacCullagh implicaba que los campos eléctricos aplicados a un medio transparente alterarían la velocidad de la luz en dicho medio, pero se demostró que no ocurría así. Se propusieron muchos otros modelos de éter durante la última mitad del siglo XIX, modelos que explicaban con diverso grado de éxito los fenómenos ahora múltiples de la luz, la electricidad y el magnetismo. Algunos intentaron dar acomodo en un modelo de éter incluso a las propiedades de la materia, sugiriendo Kelvin en 1867 que los átomos de materia eran anillos vorticiales del éter, como los anillos de humo en el aire; pero resultaba difícil explicar en esos términos el peso y densidad de las sustancias materiales. Finalmente, todos los modelos de éter hubieron de ser abandonados junto con el espacio absoluto del que suministraban la hipotética sustancia cuando se demostró que la idea de la velocidad absoluta de un cuerpo, esto es, su velocidad relativa al éter, carecía de sentido.

Una consecuencia más importante de la teoría electromagnética de la luz fue la señalada en 1883 por Fitzgerald, 1851-1901, profesor de filosofía natural en Dublín. Señaló que, si la teoría de Maxwell fuese válida, habría de ser posible generar radiaciones electromagnéticas de manera exclusivamente eléctrica variando periódicamente la corriente eléctrica en un circuito. Kelvin había demostrado en 1853 que la descarga de una botella de Leiden y otros condensadores eléctricos era de naturaleza oscilatoria, con la carga oscilando de aquí allá mientras caía a cero. Consiguientemente, Fitzgerald sugirió que un condensador descargando sería una buena fuente de ondas electromagnéticas predichas por la teoría de Maxwell, y mostró que cuanto más corta fuese su longitud de onda, mayor sería la cantidad de energía que transportarían y más fáciles serían de detectar.

En 1886, Heinrich Hertz, 1857-1894, luego profesor de física en Bonn, descubrió un detector para dichas ondas. Halló que las chispas eléctricas cruzarían una pequeña brecha entre los dos extremos de un bucle de cable si éste se mantenía en la vecindad de una botella de Leiden descargándose o de una bobina de inducción en funcionamiento. El bucle captaba las radiaciones electromagnéticas emitidas por la botella o la bobina, transformándose las radiaciones en una corriente eléctrica que se descargaba a través de la brecha de las chispas. Con este sencillo aparato, Hertz procedió luego a mostrar que dichas radiaciones poseían propiedades similares a las de la luz. En 1888 demostró que las ondas electromagnéticas se reflejaban en las paredes de su laboratorio, pudiendo refractarse en prismas de brea endurecida. Además, podían difractarse y polarizarse como las ondas de luz, viajando en línea recta con una velocidad que era del mismo orden que la velocidad de la luz. De este modo, Hertz verificó las predicciones más importantes de la teoría electromagnética de la luz de Maxwell, suministrando además los descubrimientos fundamentales en los que se basaron los posteriores desarrollos de las emisiones radiofónicas y el radar.

7. La termodinámica, ciencia de los cambios de energía

La ciencia de las relaciones entre las diversas formas de energía -calor, luz, electricidad, magnetismo, energía química y mecánica- surgió a partir del estudio de la producción mecánica del calor por fricción y de la generación térmica de energía mecánica por medio de la máquina de vapor. Durante el siglo XVII, algunos filósofos naturales, especialmente Bacon, Boyle, Hooke y Newton, habían pensado que el calor era el movimiento mecánico de las partículas diminutas de los cuerpos, aumentando con la temperatura el movimiento de dichos movimientos. Con el desarrollo de la química en el siglo siguiente, el calor se llegó a considerar como una sustancia material sin peso, denominada «calórico», considerándose que la fusión de un sólido y la evaporación de un líquido eran una especie de reacción química entre la materia del calor y la materia del sólido o líquido en cuestión.

Según la teoría del calórico, la producción de calor por fricción se debía a la liberación de la materia del calor de su combinación química o asociación mecánica con la materia de los dos cuerpos frotados, de donde se seguía que la cantidad de calor y la cantidad de frotamiento producidos tenían que ser proporcionales entre sí. El científico americano emigrado, el conde Rumford, 1753-1814, mientras perforaba un cañón en Múnich, observó que la cantidad de calor producido y la cantidad de barrenas eran más o menos inversamente proporcionales. Las barrenas embotadas producían más calor y perforaban menos que las afiladas, contradiciendo así la teoría del calórico según la cual las perforadoras bien afiladas deberían horadar el metal del cañón con mayor efectividad y liberar mayor cantidad de materia del calor ligada al metal. Rumford halló que una barrena embotada, que producía muy poca o ninguna abrasión, generaba suficiente calor para elevar unas dieciocho libras de agua al punto de ebullición en dos horas y tres cuartos. Tal cantidad de calor se producía tan sólo mediante energía mecánica, por lo que Rumford concluyó que el calor en sí mismo era una forma de movimiento mecánico.

La teoría mecánica del calor no fue ampliamente aceptada en esa época, si bien Rumford halló un converso en su futuro protegido de la Institución Real, Humphry Davy. En 1799, Davy realizó un experimento en el que se frotaban en el vacío dos trozos de hielo mediante un mecanismo de relojería, manteniéndose todo el aparato a la temperatura del punto de congelación del agua. Señalaba que parte del hielo se fundía como resultado de la fricción mecánica, por lo que Davy suponía por el experimento que el calor era «un movimiento particular, probablemente una vibración de los corpúsculos de los cuerpos». Thomas Young propuso en 1807 una teoría mecánica del calor un tanto distinta, suponiendo, merced al estudio del calor radiante emitido por cuerpos incandescentes y el efecto de calentamiento de la región infrarroja del espectro, que el calor podría ser una vibración ondulatoria similar a la luz. No obstante, la teoría mecánica del calor encontró escaso apoyo en aquel momento, y en general fue la teoría material del calor, la idea del calórico, la que resultó unánimemente aceptada hasta mediados de siglo.

Mientras tanto se investigaban en Francia los factores que regían la conversión del calor en energía mecánica en virtud de la máquina de vapor. Tales factores no se habían estudiado con mucha dedicación en Gran Bretaña, a pesar de que para entonces la máquina de vapor se había venido usando durante más de un siglo. Watt había diseñado un diagrama indicador que mostraba gráficamente cómo variaba la presión del vapor con el volumen efectivo del cilindro en una máquina de vapor; mas parece que ni Watt ni ningún otro científico británico dedujeron nada en aquel momento de esos diagramas. Los ingenieros británicos, como Watt, eran en gran medida autodidactos, mientras que los ingenieros franceses de comienzos del siglo XIX se educaban con los científicos teóricos en la Escuela Politécnica, razón por la cual estaban más capacitados para abor-

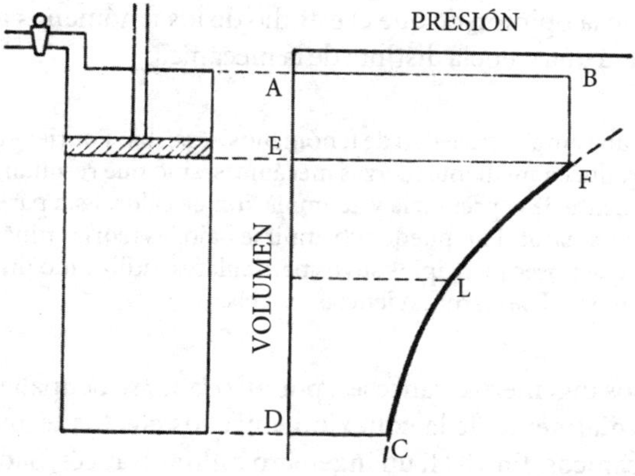

Diagrama indicador de Watt: el papel se monta sobre un tablero que sube y baja con el pistón. Mientras tanto, un manómetro con un resorte mueve a derecha e izquierda un brazo en cuyo extremo hay un lápiz que traza automáticamente la curva presión/volumen del vapor.

dar la teoría de la máquina de vapor y la teoría de máquinas en general.

Tanto los científicos teóricos como los ingenieros prácticos de Francia estudiaban el problema del calor, y ambos, hablando en general, abrazaron la teoría material del calor, considerando el calórico como un fluido imponderal. Fourier, 1768-1830, perteneciente a la escuela de física teórica de la Escuela Politécnica, publicó en 1822 su *Teoría analítica del calor,* en la que trataba del flujo de calor a través de sólidos, de un nuevo método de análisis matemático y de la teoría de dimensiones que había sido sugerida, aunque no desarrollada, por Descartes. Fourier se ocupaba principalmente de los fenómenos de conducción térmica y no de los efectos mecánicos del calor. Cuando se calientan, los cuerpos se expanden y producen fuerza mecánica, señaló Fourier, «pero no son esas dilataciones las que calculamos cuando investigamos las leyes de la propagación del calor». De hecho Fourier era de la opinión de que el estudio de los fenómenos térmicos era una ciencia distinta de la mecánica.

> Hay una amplia variedad de fenómenos –escribió Fourier– que no se producen mediante fuerzas mecánicas, sino que resultan exclusivamente de la presencia y acumulación de calor. Esta parte de la filosofía natural no puede subsumirse bajo las teorías dinámicas, sino que posee principios suyos particulares, utilizando un método similar al de las otras ciencias exactas.

Los ingenieros franceses, por otro lado, se ocupaban primordialmente de la conexión entre los efectos térmicos y mecánicos. En 1824, un ingeniero militar francés, Sadi Carnot, 1796-1832, publicó sus *Reflexiones sobre la fuerza motriz del fuego,* en la que trataba de analizar los factores determinantes de la producción de energía mecánica a partir de calor en la máquina de vapor y en las máquinas de calor en general. Carnot llamó la atención entre el hecho de que en la máquina de vapor el calor fluía de una región de alta temperatura, la caldera, a una región de baja temperatura, el condensador, generándose trabajo mecánico mediante el cilindro y el pistón durante el proceso. A este respecto, Carnot consideraba que la máquina de vapor era análoga a otro motor primario, la rueda hidráulica.

Podemos comparar exactamente la potencia motriz del calor con la de una caída de agua -escribió Carnot-. La fuerza motriz de una caída de agua depende de la altura y de la cantidad de fluido; la fuerza motriz del calor depende de la cantidad de calórico empleado y de lo que podemos denominar su altura de caída, es decir, la diferencia de temperatura de los cuerpos entre los que se intercambia el calórico.

Esta analogía, junto con la teoría del calórico en que se basaba, condujeron a Carnot a la conclusión incorrecta de que nada de calor se perdía o se convertía en energía mecánica durante la operación de la máquina de vapor. Pensaba que era la misma la cantidad de calor que cedía la caldera a la temperatura superior y la que recibía el condensador a temperatura inferior. No obstante, la analogía lo llevó también a la idea fructífera de que la cantidad de energía producida por una máquina de vapor dependía únicamente, en principio, de la diferencia de temperatura entre la caldera y el condensador y de la cantidad de calor que pasaba de la una al otro. Parecía, por tanto, que todas las máquinas de vapor y todas las máquinas de calor en general habrían de tener la misma eficiencia cuando operaban entre los mismos niveles de temperatura. Apoyó esta conclusión, conocida como «principio de Carnot», señalando que, si no fuese cierta, entonces sería posible el movimiento perpetuo. Si dos máquinas de calor perfectas que operasen entre los mismos niveles de temperatura no poseyesen la misma eficiencia, sería posible que la más eficiente hiciese trabajar al revés a la menos eficiente, bombeando calor de la temperatura inferior a la superior, dejando así intactas las condiciones térmicas y generando no obstante un exceso neto continuo de energía mecánica. Carnot sostenía la imposibilidad del movimiento perpetuo y, por consiguiente, postulaba que todas las máquinas de calor que trabajaban entre los mismos niveles de temperatura eran igualmente eficientes, independientemente de su modo de operar o del material empleado para transportar el calor y realizar trabajo; esto es, resultaban igualmente eficientes fuesen máquinas de cilindros o turbinas, utilizasen vapor, aire o cualquier otra sustancia de trabajo.

Más adelante, en 1830, Carnot se dio cuenta de que su comparación de la máquina de vapor con la rueda hidráulica no era exacta, y que una parte del calor se convertía en energía mecánica, perdiéndose durante la operación de la máquina. De ahí que abandonase la teoría del calórico y adoptase el punto de vista según el cual el calor no era más que los movimientos de las partículas de los cuerpos, siendo interconvertibles y equivalentes la energía térmica y la mecánica. No obstante, Carnot murió en la epidemia de cólera de 1832, y sus puntos de vista últimos, apuntados en sus cuadernos de notas, no se publicaron hasta 1878. El trabajo primitivo de Carnot, basado en la teoría del calórico, fue desarrollado por otro ingeniero francés, Clapeyron, 1799-1864, profesor de la Escuela de Caminos y Puertos de París. En 1834, Clapeyron resucitó o redescubrió el diagrama indicador de Watt que mostraba cómo la presión variaba con el volumen del cilindro de la máquina de vapor durante un ciclo de su operación. Señaló que el área del gráfico presión-volumen suministraba una estimación del trabajo realizado en un ciclo de cambios, sugiriendo que la razón entre el trabajo realizado y la cantidad de calor suministrada durante el ciclo proporcionaba una medida de la eficiencia de la máquina de calor.

La importancia de la obra de Carnot, que se conoció a través de Clapeyron, no fue generalmente apreciada hasta los años cincuenta, dirigiéndose mientras tanto la atención de nuevo al problema de la producción de calor a partir del movimiento mecánico y otras fuentes de energía. En Alemania el tema se abordó desde un punto de vista químico y biológico. Lavoisier había mostrado que la razón entre la cantidad de calor y la cantidad de dióxido de carbono producido por los animales era aproximadamente igual a la razón entre calor y dióxido de carbono producido por la llama de las velas. Así pues, no parecía descabellado que el calor de las criaturas de sangre caliente derivase de la energía química de la combustión de los alimentos. Liebig, que se había educado en París, suponía que la energía mecánica de los animales, así como el calor de sus cuerpos, podrían derivar de la energía química de sus alimentos. La opinión de los científicos alemanes se hallaba dividida al respecto, manteniendo algunos que las actividades de los organismos dependían de una fuerza vital peculiar de los seres vivos. Uno de los discípulos de Liebig, Friedrich Mohr, 1806-1879, adoptó el punto de vista mecanicista, del que derivó la idea de que todas las diversas formas de energía eran manifestaciones de la fuerza mecánica.

> Además de los cincuenta y cuatro elementos químicos conocidos –escribía Mohr en 1837– existe en la Naturaleza un solo agente más, denominado fuerza. Bajo condiciones adecuadas puede aparecer como movimiento, cohesión, electricidad, luz, calor y magnetismo [...]. Así pues, el calor no es un tipo particular de materia, sino un movimiento oscilatorio de las menores partes de los cuerpos.

Este punto de vista se propuso de nuevo en 1842 gracias a Robert Mayer, 1814-1878, un médico de Helbronn, Baviera. Mientras servía en un barco en los trópicos, Mayer se dio cuenta de que la sangre venosa de sus pacientes era más roja de lo que había observado en Europa. Atribuyó la diferencia a la mayor cantidad de oxígeno en la sangre venosa bajo condiciones tropicales, debiéndose el exceso de oxígeno a la disminución de la combustión de los alimentos que suministraba el calor corporal. El fenómeno parecía apoyar la opinión de que el calor del cuerpo provenía de la energía química de la comida, y Mayer suponía que la energía mecánica de los músculos provenía de la misma fuente, siendo intercambiables y convertibles la energía mecánica, el calor y la energía química. A su vuelta a Alemania, Mayer continuó con el tema. Se sabía desde principios de siglo que los gases que se expanden en un vacío no sufren cambio térmico, mientras que los gases que se expandían contra una presión opuesta, realizando de este modo trabajo mecánico, absorbían calor. Mayer se dio cuenta de que en este último caso el trabajo mecánico producido provenía del calor absorbido, siendo ambos equivalentes, y, a partir de los datos publicados relativos a los cambios térmicos que acompañaban a la expansión de los gases, calculó la cantidad de calor equivalente a una cantidad dada de energía mecánica.

El artículo de Mayer, como el anterior de Mohr, fue rechazado por Poggendorf, el editor de la principal revista de física de Alemania, basándose en que no contenía ningún trabajo experimental. Ésta era una condición de la política editorial de Poggendorf y otros físicos alemanes, quienes deseaban evitar las tendencias especulativas de la filosofía natural de la época. Por este artículo, que terminó siendo publicado en una revista de química editada por Liebig y Mohr, en 1842, parece que Mayer era una especie de filósofo de la naturaleza, aunque sus especulaciones desembocaron en un logro positivo. Las fuerzas, argumentaba, eran esencialmente causas, y dado que las causas eran indestructibles y convertibles en efectos, se seguía que las fuerzas eran asimismo indestructibles e interconvertibles.

En muchos casos, el movimiento tiene por único efecto producir calor –escribía Mayer–, y así el origen del calor no tiene otra causa que el movimiento.

Otro alemán que llegó a la idea de la conservación e interconversión de las diferentes formas de energía, también desde una perspectiva biológica, fue Hermann Helmholtz, 1821-1894, profesor de fisiología en Königsberg y luego profesor de física en Berlín. Oponiéndose a los vitalistas, Helmholtz argüía que los organismos vivos serían máquinas de movimiento perpetuo si derivasen la energía de una fuerza vital especial, aparte de la energía derivada de su alimentación. El principio de la imposibilidad del movimiento perpetuo indicaba por tanto que los animales obtenían su energía sólo de sus alimentos, convirtiendo la energía química de la comida en una cantidad equivalente de calor y trabajo mecánico. Helmholtz argumentaba además que si el calor y otros tipos de energía fuesen en sí mismos formas de movimiento mecánico, entonces el principio de que la cantidad total de energía del universo es constante se sigue de la ley de la conservación de la energía mecánica establecida en los siglos XVII y XVIII. Poggendorf rechazó el primer artículo de Helmholtz sobre el principio de la conservación de la energía, tal y como había hecho con los de Mohr y Mayer, si bien se publicó en otro lugar.

El trabajo experimental que estableció el principio de la conservación de la energía lo realizó en Inglaterra James Prescott Joule, 1818-1889, un cervecero y científico aficionado de Manchester. Como Mayer y otros, Joule estaba convencido de que la energía era indestructible, pudiendo manifestarse bajo diversas formas; pero, frente a los alemanes, trataba de mostrar experimentalmente que era así, midiendo sistemáticamente las cantidades de diversas formas de energía que podían convertirse en una cantidad dada de calor. También Joule disponía de una imagen plenamente mecánica del mundo material, creyendo que el calor eran los movimientos de las partículas de los cuerpos, por lo que el calor era básicamente lo mismo que la energía mecánica. No soportaba la concepción de la filosofía natural de Mayer, quien subrayaba que el equivalente mecánico del calor era un puro número, expresando la transformación cualitativa de una forma de energía en otra independientemente de la teoría mecánica del calor o de cualquier otro modelo teórico.

Joule estudió antes que nada el tema de la electricidad, que avanzaba entonces rápidamente; mas, frente a otros grandes electricistas, Davy y Faraday, Joule se centró en los efectos térmicos de la corriente eléctrica. En 1840 midió el calor generado por una corriente eléctrica que fluía por una resistencia, descubriendo que el calor producido en un tiempo dado era proporcional a la resistencia del circuito y al cuadrado de la corriente que fluía por él, relación conocida como «ley de Joule». Partiendo de este experimento, Joule suponía que la energía eléctrica se convertía en calor por la resistencia, aunque tenía en mente la posibilidad de que el calor fuese una sustancia material, el calórico, transportado de una parte a otra del circuito por la corriente. Desechó esta última posibilidad en 1843, midiendo el trabajo mecánico gastado en hacer funcionar una dinamo cerrada en un recipiente con agua, cuyo aumento de temperatura proporcionaba una estimación del calor producido. Aquí el circuito se hallaba completamente cerrado, de modo que el aumento de temperatura del agua se debía a la conversión de energía mecánica en electricidad y de la electricidad en calor, y no al transporte de calórico de una parte a otra del circuito. Habiéndose convencido de que las diversas formas de energía podían convertirse cuantitativamente unas en otras, Joule midió con precisión la cantidad de calor producido mecánicamente por una rueda de palas que agitaba agua, hallando que 772 libras por pie de trabajo mecánico producían y equivalían al calor requerido para elevar una libra de agua 1° F.

Las investigaciones de Joule no llamaron inmediatamente la atención. La Sociedad Real rechazó la publicación de dos de sus artículos, cosa que no sorprendió a Joule, dado que era consciente de la diferencia que mediaba entre los intereses y valores de los caballeros científicos de la Sociedad Real y los del Manchester industrial. No obstante, en la reunión de 1847 de la Asociación Británica, William Thompson (lord Kelvin), 1824-1907, se dio cuenta de la importancia de su trabajo, señalando que los resultados de Joule entraban en contradicción con la teoría de las máquinas de calor elaboradas por los ingenieros franceses. Los experimentos de Joule mostraban que la energía mecánica se convertía cuantitativamente en calor, mientras que la teoría francesa sugería que no tenía lugar el cambio inverso; que en la máquina de vapor el calor no se transformaba en energía mecánica, sino que se limitaba a caer de una temperatura alta a otra baja.

Inicialmente Kelvin adoptó el punto de vista francés tal y como estaba, dado que parecía más fructífero. En 1848 Kelvin mostró que se podía basar una escala absoluta de temperatura en la teoría de Carnot de las máquinas de calor perfectas. Hasta ese momento, las temperaturas se habían medido por la expansión de sólidos, líquidos y gases al ser calentados, tomándose incrementos iguales de expansión como estimación de incrementos iguales de temperatura. No obstante, las escalas de temperatura basadas en distintas sustancias termométricas no concordaban plenamente entre sí. El termómetro de mercurio difería ligeramente del de gas, no existiendo razón alguna para tomar las medidas de uno como más fundamentales que las del otro. La teoría de Carnot indicaba que todas las máquinas de calor perfectas que operaban entre las mismas diferencias de temperatura deberían ser igualmente eficientes, independientemente de cuáles fuesen sus sustancias de trabajo, vapor, aire, etc. Por tanto, Kelvin sugirió que los incrementos iguales de temperatura en una escala absoluta podrían definirse como los rangos de temperatura en los que una máquina de calor perfecta operaría con iguales eficiencias. Más tarde, en 1854, una vez que la teoría del calórico hubo sido universalmente abandonada, Kelvin propuso otra escala absoluta en la que los incrementos iguales de temperaturas se tomaban como rangos de temperaturas en los que la máquina de calor producía las mismas cantidades de trabajo, mostrando que dicha escala correspondía muy próximamente a la escala del termómetro de gas.

Kelvin, en Glasgow, y Rudolph Clausius, 1822-1888, en Berlín, asimilaron las opiniones de Joule, Mayer y otros a la teoría de las máquinas de calor. Se dieron cuenta de que cuando los gases y vapores se expandían contra una fuerza opuesta, realizando trabajo mecánico, perdían calor, convirtiéndose una parte en energía mecánica y gastándose de este modo en hacer funcionar la máquina de vapor. Se hallaba así superado el obstáculo principal de la ley de la conservación e interconvertibilidad de las diferentes formas de energía, formulando Claus y Kelvin la ley como principio general en 1851. Mientras que la cantidad de calor decrecía durante el ciclo de operaciones de la máquina de calor de Carnot, se observaba la existencia de una magnitud que permanecía constante a lo largo del ciclo. La cantidad de calor cedida era menor que la tomada por la máquina, pero la cantidad de calor tomada partida por la temperatura de la fuente de calor poseía cuantitativamente el mismo valor que la cantidad de calor cedida dividida por la temperatura del refrigerador. Clausius dio a este cociente el nombre de entropía en 1865.

Clausius señaló que la máquina perfecta de Carnot era más bien una abstracción, ya que en la experiencia diaria los cuerpos calientes tienden a enfriarse espontáneamente, y los fríos, a calentarse; mas si los objetos naturales constasen de pares de máquinas de calor de Carnot, una de las cuales hiciese funcionar al revés a la otra, los cuerpos calientes permanecerían siempre calientes, y los fríos, siempre fríos. En los procesos térmicos espontáneos, como es el caso de la conducción de calor por una barra de metal, la cantidad de calor permanecía constante mientras que la temperatura disminuía. La entropía, la cantidad de calor dividida por la temperatura, tendía por consiguiente a aumentar en los procesos naturales espontáneos y no a permanecer constante, como en la máquina de calor perfecta. Ésa era la segunda ley de la termodinámica. «La entropía del mundo tiende a un máximo», como decía Clausius, siendo la primera ley el principio ahora familiar de la conservación de la energía: «la energía del mundo es constante».

Las leyes y la termodinámica se interpretaron dinámicamente por obra de Clausius y otros en términos de la teoría atómica de la materia. En 1857 Clausius resucitó la teoría de que los gases constaban de moléculas en movimiento, siendo la presión del gas el resultado del impacto de las moléculas en las paredes del recipiente que lo contenía. La energía calórica de un gas residía en la energía cinética de los movimientos de las moléculas, aumentando las velocidades de dichas moléculas con la temperatura. Desarrollando más la teoría cinética de los gases, Clerk Maxwell mostró en Londres en el año 1866 que las colisiones aleatorias de las moléculas de un gas darían a unas pocas moléculas más energía que la media, dejando a otras pocas con menos energía. Calculó probabilísticamente la fracción de un conjunto de tales moléculas que presentarían un exceso dado de energía por encima de la media, resultado que más tarde sería importante para tratar las situaciones en que unas pocas moléculas energizadas se suponía que superaban una barrera de energía, sufriendo una transformación, como ocurre en las reacciones químicas o en el escape de las moléculas de la superficie de un líquido o un sólido. Maxwell señalaba que, para un ser que pudiese manejar moléculas individuales de gas, no valdría el segundo principio de la termodinámica, ya que tal «demonio» podría separar las moléculas de movimiento más rápido de las más lentas, creando así una diferencia de temperatura sin gasto de energía. Kelvin pensaba que los animales y las plantas podrían contener tales «demonios de Maxwell», pero el propio Maxwell sostenía que las criaturas vivas obedecían las leyes de la termodinámica del mismo modo que los objetos inorgánicos.

En términos de la teoría atómica, la primera ley de la termodinámica se concebía como idéntica al principio anterior de la conservación de la energía cinética durante el impacto de los cuerpos, ya que la energía calórica se identificaba con la energía mecánica de las moléculas de la materia. La segunda ley de la termodinámica fue interpretada por el físico austríaco Ludwig Boltzmann, 1844-1906, en el sentido de que, en los movimientos espontáneos de energía, como la conversión de energía mecánica en calor o el enfriamiento de los cuerpos calientes, las moléculas del sistema implicado tendían a una distribución aleatoria o maxwelliana de sus energías. Tal distribución era la más probable, siendo la más aleatoria o desordenada, mientras que otras distribuciones más ordenadas poseían una probabilidad menor. Así, el aumento espontáneo de la entropía de un sistema podría ponerse en correlación con el aumento en la distribución probable de las energías moleculares de dicho sistema, mostrando Boltzmann en 1877 que la entropía era proporcional al logaritmo de la probabilidad.

La segunda ley de la termodinámica y su interpretación molecular confirieron sentido físico y dirección al paso del tiempo, que hasta entonces había estado ausente del sistema mecánico newtoniano. En principio, la mecánica del mundo newtoniano era reversible. Teóricamente, una bala de cañón podría rebotar tras alcanzar el blanco y recorrer de nuevo hacia atrás su trayectoria hasta el cañón de que había partido. Según la segunda ley de la termodinámica, tal posibilidad era absolutamente irrealizable. El movimiento ordenado y unidireccional del proyectil se transformaría continuamente por la resistencia de la fricción del aire, convirtiéndose en calor; esto es, en movimientos aleatorios y desordenados de las moléculas del aire y del proyectil, por lo que finalmente todo vestigio del ordenado movimiento lineal se destruiría cuando el proyectil alcanzase el blanco, transformándose el movimiento ordenado en movimientos térmicos aleatorios del proyectil y de su blanco. Tales cambios eran irreversibles: la energía mecánica se perdía permanentemente en el mundo cuando se transformaba en calor y cuando éste se dispersaba.

La tasa espontánea de dispersión de la energía en procesos tales como el enfriamiento gradual del Sol por la constante emisión de radiación daba una medida del flujo del tiempo. En 1854, Kelvin señaló: «por lo que respecta al Sol, podemos ahora retroceder y avanzar en su historia con los principios de Newton y Joule». Pouillet midió en Francia la emisión anual de calor procedente del Sol, algo que hizo también independientemente John Herschel en el cabo de Buena Esperanza en el año 1837. Sus cifras mostraban una buena concordancia, estimando Herschel que el Sol emitía suficiente calor en un año como para fundir una capa de hielo que cubriese la Tierra con un espesor de un centenar de pies. Mayer, en Heilbronn, señaló en 1848 que si el Sol fuese una masa de carbón, ardería a la tasa actual en cinco mil años, sugiriendo que la energía cinética de los meteoros y asteroides que cayesen en el Sol suministraría calor suficiente para semejante emisión anual. En Inglaterra, Waterston propuso independientemente la misma hipótesis en 1853, aunque se demostró que si la misma densidad de meteoros cayese sobre la Tierra, sus impactos la pondrían permanentemente al rojo vivo. Helmholtz propuso en 1854 una hipótesis más satisfactoria, sugiriendo que las mutuas atracciones gravitatorias de las partículas que componen el Sol harían que éste se contrajese, y, por ello, la energía potencial de las partículas, las fuerzas gravitatorias entre ellas, se convertiría en energía cinética, esto es, en calor. Una contracción de unos pocos centenares de pies al año explicaría la emisión anual de energía térmica por parte del Sol, aunque ello pondría un límite a la posible edad del Sol tanto en el pasado como en el futuro. Los cálculos basados en ello mostraban que el Sol había existido entre veinte y treinta millones de años, perdurando otros diez millones de años aproximadamente.

Se podían realizar estimaciones similares de la edad de la Tierra a partir de su tasa de enfriamiento. Kelvin mostró en 1862 que la edad habitable de la Tierra no sería superior a doscientos millones de años, y para 1899 había acortado el límite a de veinte o cuarenta millones de años. Tales estimaciones se hallaban en oposición a los valores de la edad de la Tierra determinada por los geólogos a partir del grosor total de los estratos sedimentarios dispuestos en su orden histórico y de la tasa de depósito del material de aluvión que forma nuevas rocas sedimentarias en los deltas de los ríos. Por este procedimiento, los geólogos estimaban que la formación de las rocas sedimentarias había necesitado un período de al menos doscientos millones de años, incluyendo algunas estimaciones geológicas el tiempo empleado en la formación de las rocas presedimentarias, llegando así hasta cuatrocientos millones de años. Algunos estudiosos de la termodinámica consideraban que los geólogos tenían que estar equivocados. En una sesión de la Sociedad Geológica de Glasgow, celebrada en 1866, Kelvin señaló:

> Parece imponerse ahora una notable reforma en la especulación geológica. En el momento actual, la geología popular británica se halla en directa oposición a los principios de la filosofía natural.

Huxley, de la Escuela de Minas de Londres, respondió en 1869 que los elementos de juicio geológicos eran tan válidos como los físicos, pudiendo ocurrir que los físicos se equivocasen. En 1900, un año después de que Kelvin hubiese comunicado su estimación corta de veinte a cuarenta millones de años para la edad de la Tierra, el geólogo James Geikie señaló que la comprensión de la corteza terrestre resultante de nada menos que cien millones de años de enfriamiento era insuficiente para explicar el grosor de las rocas plegadas de los Alpes. En 1899, otro geólogo, Chamberlin, sugirió que la teoría de los físicos podría ser incompleta, ya que los átomos podrían poseer perfectamente organizaciones complejas y enormes energías que se liberaban en las condiciones dadas en el interior del Sol.

El fenómeno de la radiactividad, descubierto por Becquerel en 1896, llevó al desarrollo de las teorías de la energía solar siguiendo las vías apuntadas por Chamberlin, produciendo métodos adicionales para estimar la edad de la Tierra, los cuales verificaron sustancialmente las estimaciones realizadas anteriormente por los geólogos. Se descubrió que el uranio se desintegra a una tasa del uno por ciento cada sesenta y seis millones de años, terminando por desembocar en una forma ligera de plomo. Por consiguiente, las edades de los estratos rocosos se podrían determinar a partir de la cantidad relativa de uranio y plomo ligero que contenían, mostrando los resultados que la estimación de la edad de las rocas sedimentarias realizada por los geólogos era de un orden correcto y que algunos minerales se habían depositado incluso hacía mil novecientos ochenta y cinco millones de años.

Otro de los campos sobre los que influyó la ciencia de la termodinámica fue la filosofía de la ciencia. Carnot había mostrado que las operaciones de una máquina de calor eran independientes de la materia que constituía la sustancia de trabajo particular de dicha máquina, y otros físicos posteriores subrayaron que la termodinámica no entrañaba ninguna presuposición o hipótesis relativa a la naturaleza de la materia, dado que dicha ciencia trataba sólo de los cambios de energía. Las leyes de la electrodinámica se habían interpretado en términos de la teoría atómica de la materia, mas dicha interpretación no era esencial para la ciencia. La termodinámica podía proceder sin un modelo teórico acerca de la naturaleza de la materia y ciertamente podía proceder sin suponer que la materia existiese objetivamente. Así, algunos estudiosos de la termodinámica, especialmente Wilhelm Ostwald, 1853-1932, profesor de química en Leipzig, sugirió que los fenómenos de la naturaleza eran tan sólo manifestaciones de energía y sus múltiples transformaciones, fundando así la denominada escuela «Energetik».

Lo que oímos –escribió Ostwald– se origina gracias al trabajo ejercido sobre el tímpano y el oído medio por las vibraciones del aire. Lo que vemos es sólo energía radiante que realiza una operación química sobre la retina, lo que se percibe como luz [...]. Desde este punto de vista, la totalidad de la naturaleza aparece como una serie de energías espacial y temporalmente cambiantes de la que tenemos conocimiento en la medida en que inciden sobre el cuerpo, especialmente sobre los órganos de los sentidos, organizados por la recepción de las energías apropiadas.

Una vez abandonadas las hipótesis relativas a la naturaleza de la materia, no parecían existir razones muy buenas para mantener hipótesis relativas a la naturaleza de la energía. La naturaleza podría considerarse como una sucesión de fenómenos observados, y la ciencia, como una actividad que correlacionaba dichos fenómenos. Mayer señaló que el equivalente mecánico del calor era un puro número que correlacionaba diferentes fenómenos y que era independiente de la teoría mecánica del calor, de la teoría calórica del mismo o de cualquier otra y, por ende, en su concepto, valía más que cualquier hipótesis.

Un solo número posee un valor más real y permanente que una costosa biblioteca de hipótesis –escribió Mayer–; el intento de penetrar mediante hipótesis en las recónditas interioridades del mundo es del mismo tipo que los esfuerzos de los alquimistas.

Este punto de vista lo desarrolló en 1872 Ernest Mach, 1838-1916, profesor de física en Praga y luego profesor de filosofía en Viena. Mach atacó la tendencia dominante de los científicos a explicar los fenómenos de la naturaleza en términos de modelos mecánicos teóricos, como la teoría atómica de la materia utilizada en química y los diversos continuos de éter inventados para explicar los fenómenos de la luz, la electricidad y el magnetismo. Señalaba que en termodinámica no se empleaban modelos mecánicos de la naturaleza, correlacionándose los fenómenos observados entre sí de manera directa. Por consiguiente, sugería que era la termodinámica y no la mecánica el prototipo de todas las ciencias, debiéndose aplicar su metodología a las demás ciencias a fin de liberarlas de todas las imágenes hipotéticas y constructos teóricos.

Mach era de la opinión de que la ciencia constaba esencialmente de un cuerpo de hechos y fenómenos observados unidos mediante un cierto número de leyes o reglas. Las leyes de la naturaleza eran realmente expedientes desarrollados para recordar de manera conveniente y económica los hechos, dado que la mente humana era demasiado débil para retener todo lo observado. Una ley científica, escribió Mach,

> no posee un ápice más de valor fáctico que los hechos aislados tomados conjuntamente, residiendo simplemente su valor en su conveniencia. Posee un valor utilitario [...]. La ciencia nunca hubiese surgido si todos los hechos particulares, todos los fenómenos separados, fuesen para nosotros tan directamente accesibles como deseamos que sea su conocimiento.

Según Mach, la tarea de la ciencia era subsumir clases de hechos observados bajo relaciones generales que describiesen todos los casos particulares del dominio cubierto sin introducir ninguna hipótesis o modelos teóricos. Este punto de vista, denominado por Mach en 1896 «el de la física fenomenológica», no carecía de atractivo para algunos investigadores en el campo de la termodinámica, aunque la mayoría de los científicos abrazaban sus teorías y sus modelos mecánicos de la naturaleza.

Las más severas críticas de Mach y su escuela se orientaban a los partidarios de la teoría atómica, quienes la habían aplicado con éxito al campo de la termodinámica. Los teóricos atomistas, señalaba Mach, habían tratado de «formular una idea tan completamente ingenua y burda como es la que sostiene que la materia es el objeto fundamental absolutamente incambiable de la física». No obstante, el propio Mach no escapaba por completo al influjo de la teoría atómica; realmente, en cierto sentido, el punto de vista atómico era fundamental a su sistema, dado que concebía el mundo del científico como una corriente de hechos unidad observados o percepciones atómicas. Uno de sus seguidores, Ludwig Wittgenstein, señaló explícitamente que «la totalidad de los hechos atómicos existentes constituye el mundo». Tal punto de vista descansaba en la teoría psicológica de que los fenómenos se percibían como elementos unidad, teoría que había resultado del modelo atómico-mecánico del universo desarrollado por los filósofos naturales ingleses y franceses de los siglos XVII y XVIII.

La filosofía fenomenológica de la ciencia de Mach no dejó de ser puesta en tela de juicio. Boltzmann protestaba en 1899 señalando que Mach había transgredido la distinción entre teorías metafísicas y científicas, empobreciendo los conceptos de la ciencia al sustituir el marco conceptual de espacio y tiempo por la corriente unidimensional de hechos unidad observados. Al defender la teoría atómica de la materia, Boltzmann sostenía que:

> No se debe combatir, sino desarrollar aún más, una teoría que suministra algo independiente y que no se puede obtener de otra manera, y a favor de la cual, además, hablan tantos hechos físicos, químicos y cristalográficos.

Ciertamente, en aquel momento la teoría atómica estaba realizando notables avances. Los electrones, unidades de electricidad, se postularon para explicar los fenómenos del tránsito de la electricidad a través de soluciones salinas y gases a baja presión. Los movimientos de pequeñas partículas en un líquido, observados por vez primera en 1827 por el botánico inglés Brown, permitieron al físico francés Perrin comprobar el número de Avogadro, el número de moléculas en dos gramos de hidrógeno o el peso de la molécula gramo de cualquier otra sustancia. Estos y otros desarrollos llevaron al seguidor de Mach, Ostwald, a retractarse en 1909 y aceptar la teoría atómica de la materia.

También los partidarios de la teoría del éter se mantuvieron fieles a sus modelos del continuo, pues, como la teoría atómica, los modelos de éter se consideraban útiles. Se tenían por útiles no tanto por las razones defendidas por Mach, a saber, «recordar» los fenómenos observados, cuanto porque llevaron al descubrimiento de nuevos fenómenos, como en el caso del éter de Maxwell, que proporcionaba ecuaciones que derivaron en la predicción de las ondas de radio. Heinrich Hertz, que había descubierto las ondas predichas por Maxwell, hizo una amplia defensa del uso de modelos teóricos para explicar procesos naturales en 1894.

La primera y en cierta medida la más importante tarea de la ciencia es permitirnos predecir la experiencia futura, a fin de que podamos dirigir de acuerdo con ello nuestras actividades presentes –escribió Hertz–. Nuestro proceder al derivar el futuro del pasado, consiguiendo así la previsión deseada, es siempre el siguiente: establecemos imágenes subjetivas o símbolos de los objetos externos, de tal carácter que sus consecuencias intelectualmente necesarias sean invariablemente símbolos, una vez más, de las consecuencias necesarias de la naturaleza del objeto representado [...]. Una vez que hayamos logrado derivar símbolos del tipo deseado de la totalidad de la experiencia pasada, podemos desarrollar a partir de ellos en breve tiempo, como a partir de los modelos, consecuencias que en el mundo natural sólo aparecerían tras un largo tiempo o como resultado de nuestras propias manipulaciones.

Mach tuvo pocos seguidores entre los científicos importantes contemporáneos suyos; mas hay un aspecto de su filosofía que ha gozado del favor de algunos grupos en el siglo XX; se trata del rechazo del uso de modelos teóricos de carácter mecánico para explicar los procesos naturales. En la física teórica los modelos matemáticos se han impuesto a los mecánicos, tendencia que puede retrotraerse quizá a los años sesenta del pasado siglo, cuando Maxwell abandonó su modelo del éter, limitándose al estudio de las ecuaciones que le habían proporcionado. En concreto, los físicos atómicos han rechazado los modelos mecánicos propuestos para la estructura del átomo.

> El átomo de la física moderna sólo se puede simbolizar a través de una ecuación diferencial en derivadas parciales en un espacio abstracto de varias dimensiones –escribió Heisenherg en 1945–. Todas sus propiedades son inferenciales, sin que se le pueda atribuir directamente propiedad material alguna. Es decir, cualquier imagen del átomo que pueda inventar nuestra imaginación resulta por ello mismo defectuosa. Resulta imposible [...] comprender el mundo atómico de esa forma sensual primaria.

8. Ciencia e ingeniería

Las innovaciones técnicas introducidas en la ingeniería y en la industria en general hasta 1850 aproximadamente no dependieron en medida considerable del contenido de la ciencia entonces conocido. Por otro lado, la ciencia se benefició notablemente de la investigación de problemas de ingeniería en algunos casos, como el de la termodinámica, que se desarrolló en parte por el estudio de la máquina de vapor. A partir de 1850, la aplicación de la ciencia al desarrollo de la tecnología se convirtió en un factor progresivamente más importante en el desarrollo de la industria, y en nuestro siglo la mayor parte de los descubrimientos técnicos sobresalientes han surgido fundamentalmente de investigaciones científicas. Mientras que el contenido del conocimiento científico no tuvo mucha influencia sobre el desarrollo de la industria hasta 1850, sí lo tuvo el método de la ciencia. Hemos visto cómo los ingenieros del siglo XVIII, especialmente Smeaton y Watt, experimentaron con modelos a pequeña escala de las máquinas a fin de mejorar las versiones a gran tamaño, consiguiendo así un considerable éxito en el desarrollo de la máquina de vapor. Durante la primera mitad del XIX, los ingenieros franceses Carnot y Clapeyron estudiaron los principios científicos con los que operaba la máquina de vapor, desarrollando la ciencia de la termodinámica en el proceso de su análisis, mientras que los ingenieros británicos Whitworth, Bramah, Maudsley y Clement se aplicaron a la mejora técnica de las máquinas en general, prosiguiendo la tradición británica anterior de la ingeniería experimental.

Los trabajos de los ingenieros británicos de principios del siglo XIX produjeron el paso de la producción artesanal de máquinas particulares a la producción industrial en masa de máquinas estandarizadas. El desarrollo de la producción en masa en la industria exigía la manufactura de piezas estandarizadas, precisas e intercambiables, lo que centró la atención sobre los problemas de la ingeniería de precisión. La mejora de las máquinas y máquinas-herramienta, esto es, máquinas para hacer máquinas, dependía también de una mayor precisión técnica en la ingeniería. La máquina de vapor de Newcomen del siglo XVIII estaba construida con un nivel de precisión artesanal poco por encima del de la época medieval. En los años de la década de los sesenta, en el siglo XVIII, Smeaton se dio cuenta de que en una de sus máquinas había una separación de cerca de centímetro y cuarto entre un cilindro de 71,12 cm de calibre y su pistón. Tales defectos de la máquina de Newcomen se remediaban hasta cierto punto cubriendo la parte superior del pistón con una capa de agua. Esta práctica hacía que la máquina funcionase, aunque disminuía su eficiencia, ya que el agua enfriaba el cilindro, lo que repercutía en una pérdida de vapor. Las mejoras de James Watt en la máquina de vapor exigían que el cilindro estuviese permanentemente caliente, de manera que no se podía emplear un sellado de agua en el pistón. Consiguientemente, el invento de Watt se dejó de lado hasta tener disponible un método para dar forma a los cilindros con exactitud, método que apareció con el taladro de cañón de precisión de John Wilkinson, patentado en 1774.

El taladro de cañón de Wilkinson hizo posible el desarrollo comercial de la máquina de vapor mejorada de Watt. Su fin original, la manufactura de cañones, ejemplifica la otra fuente de la que surgió la ingeniería de precisión; a saber, la necesidad de producir en masa bienes estándar. Tal necesidad se hizo sentir inicialmente en la esfera militar, donde se precisaban grandes cantidades de armas de fuego y similares. La producción en masa de mosquetes a base de piezas idénticas e intercambiables se inició en Francia hacia finales del siglo XVIII. Jefferson, el tercer presidente de los Estados Unidos, indicó que en 1785 había visitado al manufacturero Le Blanc, montando él mismo varios cerrojos de mosquete con piezas tomadas al azar. En Gran Bretaña, la producción en masa y la ingeniería de precisión que entrañaba tenían una orientación más civil, aunque también contaba con el estímulo militar. El inventor e ingeniero Joseph Bramah, 1748-1814, que desarrolló en 1784 el cerrojo de seguridad y en 1795 la prensa hidráulica, se enfrentó a los problemas de la producción en masa cuando trató de manufacturar en grandes cantidades el cerrojo de tambor. Inicialmente em-

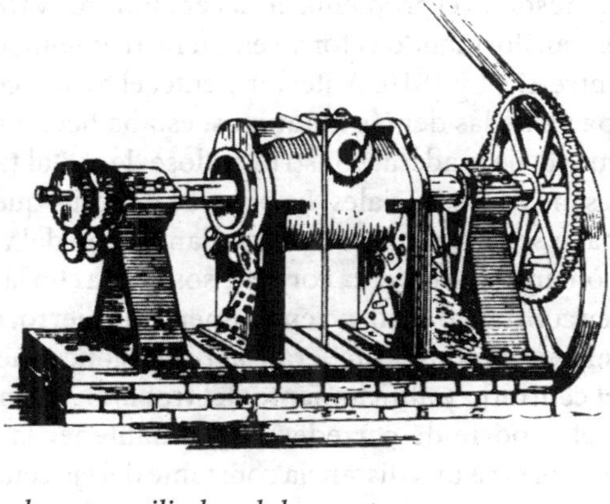

Taladradora para cilindros de locomotora.

pleó numerosos obreros para que hiciesen a mano los componentes del cerrojo, empleando para ello las tradicionales herramientas manuales, el martillo, el cincel, la lima, la sierra, etc. Más tarde, Bramah y su ayudante Henry Maudsley, 1771-1831, introdujeron ayudas mecánicas en el uso de herramientas manuales, lo que aumentaba tanto la velocidad como la precisión de la manufactura de las piezas de la cerradura. Tales desarrollos hicieron que más adelante Maudsley considerase la posibilidad de construir máquinas-herramienta generalizadas para la manufactura de diversos tipos de piezas componentes de máquinas estandarizadas.

En general, las piezas individuales de una máquina constan de metal conformado con diversas formas geométricas particulares o combinaciones de ellas: círculos, cilindros, rectángulos y demás. Un eje verdaderamente preciso sería un cilindro perfecto, y el tornillo ideal sería una espiral perfecta impresa en dicho cilindro. Así, el problema de producir en masa componentes de máquina estandarizados se reducía a la construcción de instrumentos que pudiesen conferir superficies realmente cilíndricas o planas al metal, cortando en el mismo secciones cilíndricas o rectangulares. Maudsley resolvió el problema de hacer cilindros y tornillos precisos transformando el torno en un instrumento de precisión entre 1794 y 1810. Anteriormente, el torno, como la mayor parte de las demás máquinas, estaba hecho fundamentalmente de madera, construyéndose de metal tan sólo las partes móviles esenciales. La pieza de material que había que trabajar se ponía en rotación mediante un pedal y se trabajaba con una herramienta cortante sostenida con la mano. Maudsley construyó su torno enteramente de hierro, mucho menos susceptible que la madera a las distorsiones que arruinaban el centrado y alineamiento del trabajo. Además, introdujo el soporte de corredera para mantener la herramienta de cortar a una distancia constante del eje central del torno, y en las versiones posteriores lo acopló al movimiento rotatorio de la máquina a fin de que se moviese linealmente paralelo al eje central. Así, cualquier material que rotase en el torno se convertía automáticamente en un cilindro exacto cuyas dimensiones se decidían mediante la disposición inicial del instrumento y, una vez preparado el torno, producía cualquier cantidad de tales cilindros, todos del mismo tamaño. Con el mecanismo acoplador que mantenía el soporte de corredera paralelo al eje central del torno, se podían cortar en esos cilindros canales espirales, produciendo en masa tornillos estándar. La importancia militar de tales desarrollos queda ilustrada por el hecho de que el primer pedido importante que recibió Maudsley procedió del Almirantado, en 1800, que deseaba maquinaria para producir en masa bloques estándar para el aparejo de buques.

Aparte de cilindros y tornillos, se necesitaban también trabajos planos, superficies realmente planas. Hasta entonces las superficies planas se habían producido trabajando a cincel la superficie de una pieza forjada o colada hasta que estuviese aproximadamente plana, puliéndola luego contra otra que se considerase plana. Tal método podía llevar a serias imprecisiones, ya que las dos superficies no eran necesariamente planas aunque se tocasen en todos los puntos. El problema se resolvió parcialmente gracias a John Clement, que había trabajado con Bramah y Maudsley. En 1825 inventó una máquina de aplanar metal que movía el material a pulir en líneas rectas, de modo que una herramienta cortante fija hiciese cortes paralelos en él. No obstante, se precisaba un material con una superficie realmente plana para normalizar la máquina y sus productos. Tales superficies planas estándar las produjo Joseph Whitworth, 1803-1887, quien había trabajado con Clement y con Maudsley. Vio que dos superficies que se tocasen en todos los puntos no eran necesariamente planas, sino que para que fuesen verdaderamente planas tenían que ser tres superficies las que encajasen dos a dos. De manera similar, tres barras tienen que ser de sección perfectamente rectangular si encajan perfectamente por parejas cuando descansan en una superficie plana. Con estos cilindros y superficies planas exactas, Whitworth procedió a desarrollar en los años 1830-1850 sus calibres de rosca estándar, instrumentos de medida sensibles a una millonésima de pulgada, y tornos de precisión, así como máquinas de precisión para aplanar, barrenar, acanalar y tallar, que le dieron fama mundial en la Gran Exposición de 1851.

Estas máquinas-herramienta aceleraron y normalizaron la producción de telares, hiladoras, máquinas de vapor y otras piezas de equipo capital que ahora podían trabajar a mayor velocidad gracias a la mayor precisión de sus piezas componentes y de su construcción. La máquina de vapor de Newcomen del siglo XVIII realizaba veinte movimientos del émbolo por minuto como mucho, mientras que las máquinas de la segunda mitad del siglo XIX podían realizar doscientos cincuenta o más. La ingeniería de precisión y la aceleración de las máquinas hicieron que dominase un nuevo material, el acero. El hierro colado era demasiado duro y frágil, mientras que el hierro forjado era demasiado blando para la construcción de piezas de máquina que tenían que moverse con rapidez; sólo el acero poseía la resistencia y dureza necesarias. El hierro colado, con su elevado contenido de carbono, se obtenía desde hacía tiempo en grandes cantidades directamente de los hornos, mientras que el hierro forjado se había producido a gran escala quemando casi todo el carbono del hierro colado en el horno de reverbero inventado por Henry Cort en 1784. Sin embargo, el acero que contenía aún una pequeña proporción de carbono no se produjo en cantidad hasta 1856, cuando Bessemer inventó su convertidor y simultáneamente Siemens introdujo el proceso de horno de solera abierta.

El acero y las máquinas-herramienta condujeron a una nueva fase en el desarrollo de la ingeniería durante la segunda mitad del siglo XIX, caracterizada por la aparición de máquinas estandarizadas, producidas en masa, que se construían a base de piezas torneadas con precisión, capaces de funcionar a altas velocidades. Al mismo tiempo, el desarrollo de la ciencia de la termodinámica ofreció la base teórica para la mejora de la máquina de vapor y el desarrollo de otras máquinas de calor. La termodinámica de la máquina de vapor fue notablemente desarrollada por William Rankine, 1820-1872, profesor de ingeniería en Glasgow, en su *Manual de la máquina de vapor y otros motores primarios*, publicado en 1859, así como por Zeuner en Alemania e Hirn en Francia. Estas personas popularizaron la termodinámica entre los ingenieros, si bien no pudieron hacer mucho para mejorar la máquina de vapor. La termodinámica condujo a unos pocos desarrollos en este campo, ya que la máquina de vapor distaba de ser una máquina de calor perfecta y la mayor parte de las mejoras sugeridas ya se habían descubierto empíricamente. La teoría señalaba que la máquina sería más eficiente con elevadas presiones del vapor y grandes expansiones, pero Richard Trevithick ya había desarrollado la máquina de alta presión en 1802, habiéndolo hecho aún antes Jonathan Hornblower por lo que respecta a la máquina de gran expansión.

No obstante, la teoría termodinámica halló aplicaciones en otro lugar. La ciencia cubría la teoría de todas las máquinas de calor, describiendo su conducta tanto cuando actuaban directamente como cuando lo hacían reversiblemente. Kelvin señaló en los años cincuenta que si la energía mecánica se aplicase a una máquina de calor, haciéndola funcionar así al revés, entonces bombearía calor de una temperatura baja a otra alta, actuando como refrigerador en la temperatura baja y como una máquina calefactora en la temperatura alta. Así los refrigeradores resultaron ser una aplicación de la ciencia de la termodinámica, basándose los tipos modernos importantes en la máquina de compresión del amoníaco, desarrollada por Carl Linde de Múnich en 1873. Las aplicaciones más importantes de la termodinámica estaban conectadas, no obstante, con el desarrollo de las máquinas de calor que actuaban directamente y que generaban energía mecánica a partir del calor, en especial las máquinas de combustión interna y la turbina de vapor.

La primera máquina un tanto especializada de combustión interna era el tradicional cañón de pólvora, en el que se obtenía energía mecánica a partir del calor producido en el interior de un cilindro, en lugar de hacerlo fuera, como en la máquina de vapor. Christiaan Huygens, junto con su ayudante Denis Papin, trató de fabricar una máquina de combustión interna usando pólvora como combustible en la década de 1780, aunque no avanzó mucho en el proyecto. De hecho, hasta que no se hubo desarrollado la industria del gas a partir de carbón, no se dispuso de un combustible adecuado, haciendo posible la máquina misma el desarrollo de las máquinas-herramienta, la producción de acero y la ciencia de la termodinámica. En 1862, Beau de Rochas, prosiguiendo la tradición analítica de los primeros ingenieros franceses, publicó un panfleto en el que, basándose en los princi-

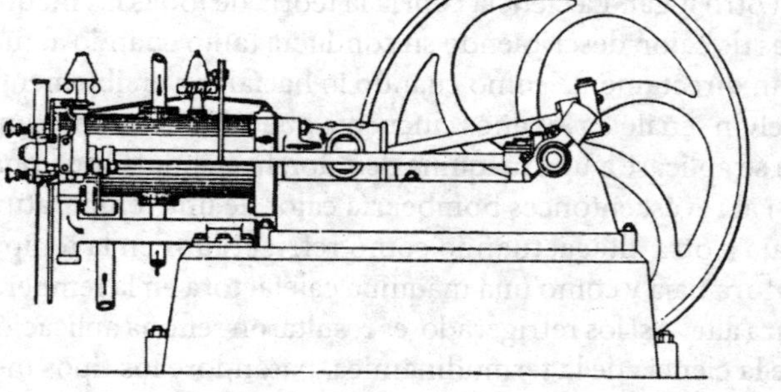

Motor de gas de Otto.

pios termodinámicos, estableció un ciclo teórico de operaciones capaz de producir una máquina de combustión interna eficiente. Se trataba del famoso ciclo de cuatro tiempos, usado por vez primera en la máquina de gas patentada por el alemán Otto en 1876. Daimler produjo su máquina de gasolina en 1885, si bien los problemas que entrañó esta última sólo se resolvieron definitivamente con Rudolph Diesel diez años más tarde.

El principio mecánico de la turbina de vapor era conocido asimismo desde hacía tiempo, habiendo construido Herón de Alejandría en la Antigüedad un juguete basado en dicho principio. Hacia finales del siglo XVIII, Boulton había temido que una turbina de vapor en proyecto pudiese competir con el mercado de la máquina de vapor, mas su socio Watt aquietó sus temores con la observación de que «si Dios no hace posible que las cosas se muevan a mil pies por segundo, no puede hacer mucho daño». No obstante, con el acero y la ingeniería de precisión, Laval había producido en Francia para el año 1889 una turbina en la que la periferia del rotor se movía a más de mil quinientos pies por segundo. La velocidad conseguida mediante el vapor de una caldera que se expandía en un vacío resultó ser del orden de cuatro mil pies por segundo y, para ser eficiente, el rotor de la turbina tenía que moverse aproximadamente a la mitad de dicha velocidad. Esas velocidades del rotor eran aún un tanto peligrosas, siendo además inconvenientes por hallar escasas y limitadas aplicaciones. Laval permitió que el vapor de su turbina se expandiese en un tiempo a través de un rotor único, generando así esas velocidades elevadas e indeseables. En Inglaterra, sir Charles Parsons, 1854-1931, desarrolló una turbina, patentada en 1884, en la que se permitía que el vapor se expandiese en una serie de estadios distintos a través de diversos rotores que se movían a velocidades más manejables. La velocidad del eje de las turbinas de Laval iba de diez mil a treinta mil revoluciones por minuto, mientras que las velocidades de los ejes de las turbinas de Parsons podían ser mucho menores, yendo de setecientas cincuenta a dieciocho mil revoluciones por minuto.

La ciencia de la termodinámica entró mucho más íntimamente en el diseño de las turbinas de vapor que en el de las máquinas de vapor, dado que se hallaban mucho más próximas a las máquinas de calor perfectas. La eficiencia de la máquina de vapor está inherentemente limitada por el hecho de ser una máquina de movimiento de alternación. Una nueva carga de vapor entra en el cilindro enfriado por la expansión de la carga anterior, por lo que inevitablemente una parte de su calor se pierde en calentar de nuevo el cilindro. Por otro lado, en la turbina, el vapor se expande continuamente de un estadio al otro, enfriándose a medida que lo hace. Cada estadio tiene su propia temperatura, manteniéndose en ella por el paso del vapor. De ahí que no haya pérdidas inevitables de vapor debido a los cambios periódicos de temperatura, como ocurre en la máquina de vapor, por lo que en el caso de las turbinas la teoría termodinámica se puede aplicar mejor.

Uno de los usos más importantes que se dio a la turbina de vapor fue el de hacer funcionar los generadores eléctricos que se estaban desarrollando hacia el mismo tiempo, dado que las velocidades de los ejes de la turbina y la dinamo se podían ajustar convenientemente al mismo valor. La dinamo, más que la turbina, era un producto de la ciencia aplicada; de hecho, la mayoría del equipo de la industria eléctrica había dependido en alguna etapa de la ciencia correspondiente. La invención de la pila voltaica condujo al desarrollo del galvanizado, estableciéndose patentes en 1839 por parte de Karl Jacobi en Königsberg y de Werner Siemens en Berlín. La pila eléctrica original inventada por Volta en 1799 era poco fiable, por lo que las primeras aplicaciones importantes de la electricidad se siguieron al desarrollo de una pila que suministraba una corriente uniforme, cosa que hizo John Daniel del King's College de Londres en 1836. Su coleco por ciento de sus pacientes morían tras la operación, mientras que otros cirujanos de la época tenían éxito tan sólo en uno de cada cinco casos. Los trabajos de Pasteur sobre la fermentación y la putrefacción le sugirieron a Lister que las heridas sépticas de las operaciones eran una especie de putrefacción causada por microorganismos. Buscó métodos químicos para matar los microorganismos y, tras ensayar varios compuestos, halló que el fenol, una sustancia obtenida del alquitrán de la hulla, actuaba como buen antiséptico. Lister rociaba su teatro de operaciones y las heridas operatorias con una solución de fenol en agua, descubriendo que el envenenamiento de la sangre tras la operación se reducía considerablemente con ello. Su primera operación realizada con la nueva técnica antiséptica se llevó a cabo en 1865, y para 1868 había reducido la tasa de muertes quirúrgicas del cuarenta y cinco al quince por ciento.

Aparte de las aplicaciones quirúrgicas de la microbiología, las aplicaciones médicas se deben a Robert Koch, 1843-1910, en Alemania y al propio Pasteur en Francia. En 1876, Koch descubrió que los microorganismos responsables del ántrax del ganado se podían cultivar fuera del cuerpo animal en un medio de cultivo consistente en gelatina de caldo de carne. Por estos medios descubrió en 1882 el bacilo de la tuberculosis, aislando al año siguiente el microorganismo del cólera. Pasteur repitió y amplió el trabajo de Koch. Descubrió que algunas bacterias se tornaban inactivas cuando se cultivaban fuera del cuerpo animal, pues un cultivo de cólera de las gallinas que tenía algún tiempo no producía enfermedad alguna cuando se inyectaba en los pollos. Además, esos mismos pollos conservaban la salud cuando más tarde se inyectaron con bacterias virulentas del cólera, lo que indicaba que los organismos inactivos habían inmunizado a los animales contra las cepas activas normales. En 1881, Pasteur preparó una cepa inactiva de ántrax que protegía al ganado contra las formas activas de la enfermedad, cubiertos en Suffolk, Bedfordshire, así como en otros lugares. A partir de 1815 se separaba el amoníaco del gas de hulla con ácido sulfúrico, dado que era una impureza indeseable, y el sulfato de amonio resultante se usaba ampliamente como fertilizante artificial a partir de 1850. Para completar el primer estadio del desarrollo de los abonos químicos, los depósitos de nitrato de Chile y los depósitos de sultafo potásico de Strassfurt en Alemania se explotaron por vez primera en 1852, empleándose directamente como fertilizantes las sales brutas.

El Colegio Real de Química de Londres, que se había fundado gracias a los latifundistas con la esperanza de que las investigaciones químicas llevasen a la mejora de sus posesiones, produjo pocas cosas de importancia para la química agrícola, aunque el trabajo allí desarrollado llevó a la fundación de la industria química fina. El profesor del colegio, Hofmann, al igual que su maestro Liebig, estaba muy interesado en las aplicaciones de la química, especialmente en el campo de la medicina, deseando manufacturar artificialmente las drogas naturales. Hofmann sugirió que la quinina podría fabricarse a partir de los productos del alquitrán de la hulla, y en 1856 uno de sus discípulos, William Perkin, 1838-1907, trató de hacer la droga oxidando algunos derivados de la anilina con los que trabajaba en aquel momento. No obtuvo quinina, sino una materia colorante malva que demostró ser un tinte excelente. Los químicos orgánicos aún no habían desarrollado la teoría de la estructura molecular, siendo desconocida la naturaleza de los compuestos orgánicos y sus reacciones. De este modo, síntesis que hoy día se considerarían ambiciosas eran objeto común de ensayo, como en el caso de la aventura de Perkin al tratar de sintetizar la quinina, cosa que sólo se logró en 1945.

Para Perkin la importancia industrial de su descubrimiento era grande, y aunque sólo era un joven de dieciocho años, estableció una factoría para fabricar en cantidad la sustancia colorante, fundando una industria química fina. En Francia, Girard y De Laire extendieron la obra de Perkin, tratando los derivados de la anilina con diversos agentes oxidantes y produciendo otro tinte, el magenta. A continuación trataron el magenta con más anilina, obteniendo todo un abanico de tintes conocidos como azules de anilina. Hofmann siguió investigando en Londres los compuestos preparados por Perkin y los químicos franceses, produciendo el año 1863 otro abanico de tintes denominados «los violetas de Hofmann». Dos años más tarde, Hofmann dejó el Colegio Real de Química para ocupar una cátedra de química orgánica en Berlín, a la vez que el químico alemán Caro, que había estado trabajando en una factoría química de Manchester, volvió a Alemania como director de una gran fábrica química recientemente fundada, la Badische Soda und Anilin Fabrik. A partir de este momento, los químicos alemanes pasaron a ocupar un lugar cada vez más destacado en la ciencia química y en la industria química, especialmente en el mercado químico fino. Hofmann contribuyó a planear los grandes laboratorios nuevos de las universidades de Bonn y Berlín, que se terminaron en 1869, de donde salieron los químicos que dieron a Alemania su poderío científico e industrial.

Dos de los tintes naturales más importantes utilizados en el siglo XIX eran la alizarina, obtenida de la rubia, y el añil, derivado de la planta del mismo nombre. A finales de siglo, los alemanes habían sintetizado ambos tintes y los producían en cantidad. En la vertiente científica, la figura importante era Adolf von Bayer, 1835-1917, profesor asistente de química en Berlín a partir de 1860. Él y sus discípulos Graebe y Liebermann mostraron en 1866 que la alizarina era un derivado del antraceno, uno de los constituyentes comunes del alquitrán de hulla, sintetizando además poco después la alizarina en el laboratorio. Su método no era práctico para la producción de alizarina a gran escala, pero para 1869 en 1810 se hizo practicable gracias a los hermanos Solvay de Bélgica en 1865. El proceso Solvay, como se pasó a llamar, suministraba un producto más puro y barato que el del proceso Leblanc, siendo adoptado en Gran Bretaña por Brunner y Mond en 1873. La fábrica de Brunner y Mond se puso rápidamente a la cabeza y, a fin de competir con ella, las demás fábricas de álcalis de Gran Bretaña formaron en 1890 la United Company. Es interesante señalar que las figuras importantes de las industrias de álcalis, Brunner y Mond, fueron los primeros industriales químicos notables de Gran Bretaña que financiaron la investigación científica. Brunner hizo donaciones en los años noventa a la Universidad de Liverpool, mientras que Mond donó en 1896 el Laboratorio Davy-Faraday a la Institución Real. En Alemania, donde la industria química se había practicado a mayor escala desde el principio, los industriales habían financiado mucho antes la investigación científica.

Hacia finales del siglo XIX, los químicos alemanes comenzaron a introducir nuevos métodos en la industria química pesada, aplicando en particular la nueva química física que señalaba las condiciones óptimas bajo las que se producía una reacción química. Se desarrolló una alternativa al proceso de la cámara de plomo para la manufactura del ácido sulfúrico, denominada «proceso de contacto», mediante la que el dióxido de azufre y el oxígeno de la atmósfera se combinaban directamente por medio de un catalizador, como el platino. El proceso de contacto daba un ácido mucho más concentrado que el proceso de la cámara de plomo, siendo notablemente desarrollado a partir de 1897, momento en que se hizo necesario el suministro de ácido concentrado para la manufactura de tintes. Un problema aún más importante planteado a los químicos alemanes fue la manufactura de compuestos nitrogenados para abonos y explosivos, dado que Alemania dependía considerablemente de suministros importados de nitratos y compuestos de amonio que se verían cortados en caso de hostilidades. Fritz Haber estudió físico-químicamente la combinación directa del oxígeno y el nitrógeno para la producción de amoníaco, descubriendo que la reacción se veía favorecida por las altas presiones y las temperaturas moderadas. Simultáneamente, Ostwald investigó la conversión de amoníaco en óxidos de nitrógeno y éstos en ácido nítrico. Para 1912 las investigaciones se hallaban terminadas y se aplicaron a escala industrial por parte de la Badische Soda und Anilin Fabrik, suministrando a Alemania gran cantidad de fertilizantes y explosivos durante la Primera Guerra Mundial.

El uso de tales métodos físico-químicos para determinar las condiciones óptimas bajo las que se producían las reacciones químicas se ha convertido en nuestro siglo en un rasgo característico de la práctica industrial. Hoy día, la industria química posee numerosas ramificaciones. El desarrollo de la nitroglicerina, la dinamita y las gelignitas por parte de Nobel en Suecia a partir de 1862 señaló un punto crucial en la industria de los explosivos. Las fibras artificiales datan de 1883, cuando Joseph Swan produjo filamentos de nitrocelulosa por extrusión, proceso adoptado comercialmente por el químico francés Chardonnet. El primer plástico termoestable, la baquelita, lo fabricó en 1907 Leo Baekeland, de la Universidad de Columbia, mientras que la primera sustancia termoplástica, el celuloide, lo descubrió Alexander Parkes de Birmingham en 1865. En su búsqueda de sustitutos, los alemanes desarrollaron gradualmente un caucho sintético viable a partir de finales de la Primera Guerra Mundial, a la vez que Fischer y Tropsch hicieron un sucedáneo del petróleo a partir del gas de agua en 1925, y Bergius produjo otro combustible para motores hidrogenando el carbón en 1935. En la industria de los productos químicos refinados, la atención pasó de los tintes a las drogas y perfumes ya en este siglo. William Perkin, que sintetizó el primer tinte, fue el primer químico que preparó un perfume natural, la *cumarina,* que fabricó a partir de derivados del alquitrán de hulla en 1868. También la síntesis de drogas estuvo asociada a la manufactura de tintes. Se descubrió que algunos tintes eran altamente selectivos en su acción, colorando la lana y no el algodón, tiñendo unas partes y no otras cuando se aplicaban a los tejidos orgánicos. El fundador de la quimioterapia, Ehrlich, 1854-1915, sugirió que, puesto que los tintes orgánicos eran absorbidos por algunas células del organismo y no por otras, sería posible fabricar compuestos tóxicos que afectasen a un microorganismo parásito y no al huésped infectado por él. De este modo sería posible matar el microorganismo y curar al huésped de la enfermedad que aquél había provocado. Ehrlich preparó y probó numerosos compuestos, teniendo éxito con el *salvarsán,* que contrarrestaba específicamente la sífilis, la frambesia y otras infecciones por espiroquetas. Los químicos de la industria alemana de teñido prepararon posteriormente la *pemaquina* (1926) y la *mepacrina* (1930), que resultaban tóxicos para el parásito de la malaria, y en 1935 prepararon un tinte rojo, *prontosil,* que fue la primera droga sulfamida. Otra línea de investigación química, hoy de considerable importancia médica, es la síntesis de compuestos naturales biológicamente activos, como las vitaminas, las hormonas y los antibióticos naturales producidos por organismos vivos, como la *penicilina.*

Índice analítico

Índice